致青春期男孩

身体篇

子　晨 / 编著

北京理工大学出版社
BEIJING INSTITUTE OF TECHNOLOGY PRESS

图书在版编目（CIP）数据

致青春期男孩. 身体篇 / 子晨编著. —北京：北京理工大学出版社，2016. 6（2021. 9 重印）

ISBN 978 - 7 - 5682 - 1808 - 5

Ⅰ. ①致…　Ⅱ. ①子…　Ⅲ. ①男性 - 青春期 - 健康教育　Ⅳ. ①G479

中国版本图书馆CIP数据核字（2016）第019601号

出版发行 / 北京理工大学出版社有限责任公司
社　　址 / 北京市海淀区中关村南大街5号
邮　　编 / 100081
电　　话 /（010）68914775（总编室）
　　　　　（010）82562903（教材售后服务热线）
　　　　　（010）68944723（其他图书服务热线）
网　　址 / http: //www. bitpress. com. cn
经　　销 / 全国各地新华书店
印　　刷 / 保定市中画美凯印刷有限公司
开　　本 / 710毫米 × 1000毫米　1 / 16
印　　张 / 16
字　　数 / 150千字
版　　次 / 2016年6月第1版　2021年 9月第19次印刷
定　　价 / 32.00元

责任编辑 / 王晓莉
文案编辑 / 王晓莉
责任校对 / 周瑞红
责任印制 / 马振武

目　录
Contents

第一章　你闻到激素的味道了吗？

第二章 这些“男人的烦恼”

第三章 我想更帅一点儿

第四章 心动与恋爱

目录

第五章 接吻和性

第六章 怀孕和生育

第七章 在青春期调理出健康美丽

第八章 “君子不立危墙”，我要保护好自己

第一章

你闻到激素的味道了吗？

让我吃惊的身体变化

“妈妈，我最近并没有感冒啊，怎么说话声音突然变得那么沙哑？”

“昊昊，你注意到没有，除了声音变得沙哑，你的喉结也变大了，是不是？”

“是啊，我看到班里有很多同学都有这样的变化。”

妈妈听到我这么说，笑呵呵地递给我外套，说道：“昊昊，你慢慢会发现，身体会出现很多奇妙的变化，你要开始自己的奇妙之旅了。”

听完妈妈的话，我更好奇以后自己会发生怎样的变化了。

悄悄说给男孩听：

男孩在十一二岁时，身体会发生很多变化，声音的变化就是其中典型的一种。男孩们面对这些变化，会表现出不同的心理，如羞涩或焦虑心理等。如果这时能了解一些自身发育的基本知识，男孩们就能坦然面对自己第二性征的出现了。

根据生理学的相关知识，男孩一般在11岁就开始进入青春期，进入青春期的第一个表现就是睾丸的长度突增1厘米，宽度增加0.8厘米。随之，雄性激素开始分泌，刺激阴茎开始变长变粗。而男孩的身高会在其12岁时呈现突增高峰，大部分男孩在此阶段会突然长高。13岁时，男孩阴茎根部的两侧会长出细细的毛，我们称之为“阴毛”。14岁时，男孩的喉结会慢慢凸出来，这说明他要进入变声期了，说话的声音会变粗。乳房也会和女孩子一样开始发育，有时还伴有疼痛感，但这并不是什么疾病，痛感会渐渐消失。就这样，随着年龄的增长，慢慢地，男孩会发现，身上的其他部位，比如：腋窝、嘴唇、腿部等都会长出体毛来。当然，在此过程中，睾丸和阴茎一直在生长。15岁前后，由于阴茎增长，阴茎头则凸出来，而睾丸的增长基本完成，当出现遗精时，男孩就成长为真正的“男子汉”了。

16岁时，男孩的阴茎、睾丸已与成人相同。身体发育会舒缓下来，各项发育渐趋平衡。再过一两年，男孩就会长出可爱又恼人的青春痘。

等到19岁时，男孩基本上完成了青春期身体的发育。他们告别了曾经的天真和幼稚，变得身材高大、强壮，声音低沉、有力，成为真正的男人了。

所以，这些身体上的变化是男孩子成长的见证，是其成为“男子汉”的必由之路，当青春期的男孩了解了身体发育的规律后，就不必因身体的变化而焦虑或羞涩了，为自己将成为“男子汉”而欣喜吧！

我们都一起进入青春期吗？

上了中学，我和身边的朋友慢慢地发生了很多变化，长高了许多。后来，我们的嘴上有了浅浅的绒毛，据说这些绒毛以后还会变成黑黑的胡须。总之，我们都在不知不觉地变化着。

可是，我的好朋友楠楠却很苦恼。

因为，和我们比起来，他几乎没发生什么变化，还是瘦瘦小小的，没有胡须，也没有喉结。我们都在变声，可是他却没动静。于是他很着急，总是觉得自己生病了。

悄悄说给男孩听：

其实，有的同学青春期来得比较早，在别的孩子还没有进入青春期时，他就已经长出了小胡子；而有的同学青春期又来得晚些，别的孩子都变声了，他还保持着童音。

经过研究我们得出，青春期是指性器官发育成熟、出现第二性征的年龄阶段。世界卫生组织将青春期规定为10～20岁。在中国，青春期一般是指11～17岁。但是具体到每个孩子，青春期又存在着个体差异，也就是说，每个同学的青春期有着早晚、快慢的差异。相关资料表明，青春期的早晚、快慢受遗传、营养、生活习惯、情绪及周围环境等因素的综合影响。

医学上将青春期发育的早晚归为不同的发育类型。一般来说，发育类型分为早熟型、均衡型和晚熟型。早熟型的孩子青春期开始最早，八九岁就进入了青春期。均衡型的孩子一般在12～16岁进入青春期。而晚熟型的孩子则在14～15岁才进入青春期。

所以，不同的发育类型直接关系到青春期到来得早晚，青春期的早晚没有优劣之分，不过会给男孩带来一些身材上的差异，而这些差异并不会影响健康，所以无须担忧。但如果有些孩子到了一定年龄的时候，第二性征还迟迟不发育，那么这就需要咨询医生和进行治疗了。

我的声音为什么会变化？

学校要举行演讲比赛，班里有很多同学报名参加了，其实演讲是我的强项，但是我却不想参加。爸爸很奇怪，一向对活动都很积极的我是怎么了？

“爸爸，我的声音变得不再悦耳，你听我说话，就像嗓子破了似的，我觉得我不适合演讲。”

“原来如此。昊昊，爸爸觉得这完全不成问题。其实，每个男孩到了青春期，声音都是会发生变化的。”

说完，爸爸就讲起了这个问题。

听完爸爸的话，我明白了在变声期我要保护好嗓子，平稳度过变声期。通过爸爸的话，我明白了自己应该怎样去做。

悄悄说给男孩听：

变声是进入青春期后一个比较明显的标志。所谓变声期是指儿童由童声转变为成人声音的时期。在这一时期，儿童会因为其喉头、声带的增长而出现声音嘶哑、音域狭窄、发音疲劳、咽喉局部充血水肿等现象，说话或唱歌的声音音域、音色、音调等也会发生很大变化。

遗精、勃起只发生在男生身上，但是变声则是男生、女生都会经历的，只是男生的变声比女生的变声显著得多。男孩的变声期一般是在13～16岁，变声期可持续半年到一年的时间，变声导致男孩声带从幼童时的6～8毫米，逐渐增长到20～24毫米，并且变宽增厚；女孩的声带也会发生显著的变化，逐渐增长到15～18毫米，并且相对变窄。这些变化结果导致男孩的发音频率低，声调变得粗而低沉；女孩的发音频率高，声调变得高而尖细。有些男孩变声强烈，以致出现声音稍粗并带有破裂嘶哑声，进而发出假声，俗称“破锣嗓子”。其实，这只是暂时的、正常的生理现象，半年至一年就会恢复正常。

处于变声期的男孩，他们的喉头、声带都处于发育的阶段，具体可表现为声音嘶哑、音域狭窄、发音疲劳、局部充血水肿、分泌物增多等变化。另外，声带发生变化也是变声期的一个重要表现。青春期男孩的喉腔较大，声带较宽、较厚，所以音调较为低沉。

在这一特殊时期，男孩们应特别注意保护嗓子。专家提示，需要注意少说话，不大喊大叫，使声带得到休息。

一些男孩子对此认识不足，觉得声音很难听，于是羞于张口，甚至出现了紧张、恐惧、情绪不稳等心理现象。对这些不利的心理因素所造成的不良影响，如不及时予以疏导和纠正，极易使青少年在变声期产生声带的病变，并严重影响其身心的健康成长，有时甚至会带来终身遗憾。因此，对变声的青春期男孩来说，以下几点是需要特别注意的：

1. 注意不要过度用嗓子

青春期的男孩子活泼、开朗，一般都喜欢大声说话或唱歌，殊不知，稍不注意就殃及处于关键发育时期的声带。如果声带“生病”了，就会出现充血、水肿、声带小结或声带息肉，轻则导致发音疲倦无力，音调改变；重则导致声音嘶哑，甚至呼吸困难，不能说话。

因此，一定要科学合理地使用嗓子，变声期应减少说话，使声带得到休息。切勿大喊大叫，尤其注意不要过度K歌，以减少声带的负担，要知道，青春期用嗓过度会导致声带过度充血、肿胀，进而引发急慢性喉炎、声带小结等疾病，严重者还可能导致终身声音嘶哑。

2. 保持良好的生活习惯和情绪

所谓良好的生活习惯，就是尊重身体、尊重自然规律的习惯，比如劳逸结合、生活有规律、睡眠充足、不熬夜等；冬天注意保暖，避免感冒引起咽喉部不适；多参加一些体育活动，通过锻炼增强体质、增强免疫力；保持积极的情绪状态，避免过度焦虑、紧张等消极情绪。

3. 正确饮水

在变声期多饮水可减少或清除局部分泌物，避免继发感染，对声带的健康发育也大有裨益。但也应注意冬天不喝太烫的开水，夏天不吃太凉的东西，剧烈运动后不宜立即喝凉水。

4. 注意胶原蛋白和弹性蛋白的摄入，食物应以软质、精细食物为主

发音器官主要由喉头、喉结和甲状软骨组成，而发音器官的这些组成部分又是由胶原蛋白质和弹性蛋白质构成的。处于变声期的男孩宜多吃些富含胶原蛋白和弹性蛋白质的食物，比如，猪蹄、猪皮、蹄筋、鱼类、豆类、海产品等。同时，尽量不要吃炒花生仁、爆米花、锅巴、坚果及油炸类食物，这些既硬又干燥的食物容易对喉咙造成机械性损伤。

5. 选择适当的食物，以减少对发声器官的刺激

尽量不吃或少吃酸味、苦味的刺激性食物，比如，大蒜、辣椒、生姜、韭菜等，这些食物会刺激气管、喉头与声带。也不要吸烟喝酒，烟酒中的有害物质对青少年的生长发育（包括声带的生长发育）是非常有害的。

男孩子的胸部也会增大吗？

壮壮是我的同桌，他人如其名，胖乎乎的，看起来就特别壮实。

夏天到了，壮壮每次都穿件肥大的T恤。尽管如此，还是能够看出壮壮的胸部有点发育了。对此他也常常不好意思，特别是运动的时候，他总是驼着背想掩盖自己的胸部。

壮壮的样子让大家觉得挺搞笑的，我们几个好朋友私下里经常拿这件事情逗他。壮壮很郁闷，可是他也不知道自己是怎么了。

一次大家一起打篮球，不小心撞到了壮壮的胸，他当时的表情就特别痛苦。

几天过去了，壮壮洗澡时偶然发现自己的乳头部位凸起，有时候碰到会疼，揉的时候，觉得里面好像有肿块。壮壮以为是打篮球时碰的，就去药店买了些消炎药。可是几天后肿块还在，并没有消失，并且又大了一些，壮壮有些害怕，就让爸爸带自己去医院检查。医生看了看说，不是肿块，是乳房开始发育了，壮壮和爸爸听后吃了一惊。不是女生才会有乳房发育吗，怎么自己一个大男生乳房还会发育，真是不可思议。医生说，青春期男孩分泌雄性激素时也分泌雌性激素，导致乳房发育。这是很正常的现象，没什么的，过一段时间就好了。但要注意不要过度使用补品，因为有些补品含有激素，吃多了会导致乳房异常发育。

壮壮回家后，把这件事告诉了妈妈。妈妈听了也很吃惊，说："以后不再随便给壮壮买补品补身体了，还以为多吃些补品，对正在长身体、学习压力又大的壮壮是件好事儿，没想到反而会弄巧成拙，以后可要注意啊！"

悄悄说给男孩听：

在青春期，与壮壮有着同样烦恼的男孩并不在少数。有个男孩担心地说："我的乳房很肿，摸上去感觉乳房内有一个硬块，并伴有疼痛感。"另外，一些男生有时也会开玩笑说，某同学乳房变大了，要变成女孩子了。可以看出，很多男孩会有这样的疑惑：乳房发育一般不是指女孩吗？其实这是一种认识上的误区，男孩子在青春期也会有乳房的发育，这属于正常生理现象。

其实，男性青春发育期的乳房发育也是第二性征的表现，也会出现硬块，这是正常的生理变化。乳房主要是由乳腺组织和脂肪及结缔组织构成的，乳腺细胞能识别和接受雌性激素，当两者结合后就会使乳腺细胞增生，乳房发育隆起，乳晕可能会变得更宽，颜色更深，乳头变得稍大，等等。

男孩进入青春期后，睾丸在分泌雄性激素的同时，也分泌极少量的雌性激素。雌性激素会使乳头部位的乳腺细胞不断增殖，导致乳房形成硬块，肿块一般不会超过乳晕。当然，并不是每个男孩都会出现乳房明显增大的情况，有的男孩子雌性激素分泌微乎其微，这时就看不出变化，形成的硬块几个月后就会随着内分泌的调节而自然消退，所以一般不需要治疗，这不会影响其他第二性征的继续发育。

需要注意的是，男孩在青春期虽然学习压力很大，但也不要过度食用补品，有的补品中含有激素，这样造成的乳房发育将不利于男孩子的健康成长，属于异常发育。

为什么有的人高大，有的人矮小？

原来我们都坐一排的几个好朋友，几次调座位大家就都分开了。虽然我们都很想坐在同一排，但是，大家原来差不多的个头，现在站在一起却是高矮不同。

为什么有的人高大，有的人矮小呢？大家都在长身体，为什么有的快，有的慢呢？

悄悄说给男孩听：

一群年龄相当的中学生，有的个子要比其他人高很多，而有个别的要矮很多，这是为什么呢？是长得早就会长得高，还是长得晚才长得高呢？这是个使许多学生困惑的问题，他们往往担心长个子早晚会对自己最终的身高产生影响。

医学研究表明，影响身高的因素有很多，遗传、营养和运动等都会影响到一个人的身高。在这些因素相当的情况下，如果每个人的体质不同，长个子的时间也就有所不同。长个早晚并不会决定身体的最终高度。个子长得过早的孩子要警惕性早熟。性早熟是性激素释放异常引起的，这样会导致孩子早期身高发育快，后期身高发育迟滞。

青春期无疑是身高发展的重要时期，在此期间为了给身高增长提供一个优越的条件，男孩们要合理安排自己的生活，从饮食、睡眠、运动等各个方面都加以注意，才不至于错过身高增长的最佳时期。

每个人的身高发育时段都不同。青春期时，每个人最先发育的部位也不一致，生殖器、体毛、身高等的发育会呈现不同的顺序，因人而异。所以，长个早晚并不重要，重要的是为长个做好各方面的准备，提供各种有利于长个的条件。

男孩们也许发现了，那些喜欢户外运动的同学个子会比不爱运动的同学高，这是有科学道理的。经常参加体育运动的男孩身高要普遍高于不运动者。所以，男孩在学校里经常参加单杠、弹跳、游泳、吊环、自由体操、打篮球等运动，对长个子很有帮助。

为什么敏感部位会长出很多毛毛？

我偷偷用了爸爸的剃须刀，结果被他发现了。爸爸很奇怪地看着我说："昊昊，你为什么要用爸爸的剃须刀呢？这属于私人用品，你如果需要的话，爸爸可以送给你一个，混用不卫生。"

听到爸爸这么说，我松了一口气，对爸爸说："好的，爸爸，你送给我一个三头的吧，我看广告上那些三头的剃须刀都很酷。"

"你真的需要剃须刀吗？"爸爸疑惑地看着我。

"爸爸，我身上很多地方都长出了毛毛，太难看了，爸爸，我想把它们都剃干净。"我小声地跟爸爸解释着。

爸爸听了我的话很吃惊。"昊昊，你现在身上开始长毛，这就是说明你不再是小屁孩儿了，你开始向男人的队伍迈进啦！男生长出体毛，包括胡须、腋毛，还有隐秘部位的毛，也就是阴毛，并且手脚的毛发会变浓密，这些都是男性的第二性征，也是男子汉的生理标志。正如你发现的那样，自己的身体表面不再像小的时候那样光滑，开始像孙猴子一样长毛了。一般来说，最先长毛的部位就在那个私密的地方。随着青春期的继续，长出的这些阴毛将会变得越来越黑、越来越粗、越来越多，形状也会变得更加卷曲。你明白了吗？”爸爸耐心地解释道。

“哦，原来是这样呀，让我白白担心了好多天。”听完爸爸的话，我长舒了一口气。

悄悄说给男孩听：

进入青春期后，各种体毛都会变得更加浓密，最明显的体毛变化就是长出阴毛和腋毛，男孩还长胡须。男孩的三种体毛，都是伴随性发育而出现的第二性征，也是男子汉的标志。

男孩阴毛、腋毛的发育比女孩相应晚一年。一般情况下，男孩最先长体毛的部位在阴部，腋毛的出现比阴毛晚一年左右，而胡须的发育则比腋毛的出现还要晚一年左右。男孩的胡须一般首先出现在上唇两侧，以后依次扩展到上唇中部、颊部及下唇中部，最后扩展到下颌。

青春期男孩的阴毛不只局限于生殖器周围，还会拓展到大腿内侧、耻骨联合部位、肛门周围等。

阴毛、腋毛等体毛除了代表人的第二性征之外，还有一定的作用。阴毛起到保护身体的作用，它能够减少衣物对该部位身体器官的摩擦，保持通风，能够吸收这些部位分泌出来的汗和黏液，向周围发散，避免阴部过于潮湿，有利于身体健康。

腋毛的作用包括：一是防菌，对生长腋毛的体表部位进行遮挡、保护，使腋窝部位不受外来细菌、灰尘等的侵袭；二是可以缓解摩擦。当手臂运动时，腋窝处牵拉着周围皮肤间总有摩擦力产生，腋毛可缓解皮肤摩擦，使腋窝皮肤不被擦伤。

除了这些，男孩子在进入青春期后，胳膊上、腿上会长出许多很重的汗毛。相对而言，有的男孩子的汗毛偏轻，比如只在皮肤表面有一层淡淡的汗毛；有的男孩子的汗毛偏重，在整个胸部、腹部、背部、肩部、手臂、腿部，甚至脸部都会布满密密的汗毛。这样的差别是由种族和遗传所决定的。

了解了这些，男孩们就不会因为发现身体毛发增多而恐慌了，也不会对其“另眼相看”，甚至“必欲除之而后快”。这些体毛虽然未必美观，但是它同样是身体发育到某个阶段的明显标志之一，是健康和气质的一种体现，是健美的标志，这些都是第二性征的表现，和身高、体重的增长一样，具有其生长的规律性。

因此，处于青春期的男孩不要为自己长出的体毛过于焦虑，让它们顺其自然地生长并保持清洁即可。至于胡子，因为除了是男性的标志外几乎没有实际用途，所以可用刮胡刀刮去，但绝不可拔掉，以防止发生皮肤感染。

我的喉结为什么越来越明显？

早上，我在洗脸时突然感觉到自己的脖子上长出了一小块骨头，虽不影响正常吃饭、喝水，可凸出一块“东西”，看起来很不自在。这是怎么回事呢？我不会生病了吧？

这个问题困扰了我好几天。我一直在为这件事烦恼。

到了学校，我发现壮壮的脖子上也同样凸出了一块奇怪的“不明物体”，我问壮壮疼不疼，壮壮也说不疼，但是他也有点儿担心。

这天放学，我们俩等同学都走后，才结伴走出校门，边走边商量应该怎么办。最终既没有弄清楚原因，也没有找到解决的办法。就这样，我们带着疑惑回家了。那天以后，我们俩总是偷偷地观察班里别的男孩子的脖子，发现大部分男生的脖子上都长出了一小块骨头，而女生们的脖子却一切正常。我们对这种现象很是奇怪，虽然也隐隐约约地觉得应该是男孩子身体上的某种变化，但是凭着自己的知识也解释不清。于是，开始天马行空地猜测那个东西是做什么用的。

我担心地对壮壮说：“我们脖子里的这个‘小东西’，它不会影响到身体健康吧？”我们俩都是一头雾水，决定回家问问爸爸，男生脖子上的“不明物体”究竟是什么东西。

爸爸听了我的问题，很认真地回答了我。

悄悄说给男孩听：

当男孩子发现自己的脖子上长出“不明物体”的时候，也就意味着男孩子进入了青春期。脖子上的所谓“不明物体”就是喉结。

喉结是男性的第二性征之一。它是喉部甲状软骨上的一个结构部位，男女都存在，只不过由于没有足够的雄性激素的作用，一般来说，女生并没有明显的喉结表现。随着喉结的出现，肌肉变发达、汗毛变重、嗓音变粗等男性第二性征也会出现。

事实上，胎儿在两个月时，喉软骨就开始发育，直到出生后5～6年，每年仍在增长，但5～6岁到青春期这一时期内喉软骨生长基本停止。但是到了青春期，男孩子的雄性激素分泌开始增强，喉结迅速增大。因此，在青春期前，男生、女生的声音是没有较大差别的，而喉结出现后，男孩子就出现了变声现象，一般声音都会变粗、变低沉。

喉结对人体来说并没有什么实际功能，但它体现了性激素分泌不同对人体产生的不同影响。男生在青春发育阶段出现喉结，喉结的作用就是使声音变粗，突出男性的一种发育特征。

第二章

这些“男人的烦恼”

阴茎的长度有没有标准？

对于这个大家都不好意思提起的话题，我也不例外。但是，对这个问题我很好奇。可是，我去哪里寻找答案呢？问爸爸吧，不好意思开口，问同学吧，显然不合适，而且他们和我一样，估计也对这个问题很疑惑。到底应该问谁呢？

当我在这个问题上惆怅的时候，我便问自己，为什么会想知道这个问题的答案呢？

我又思考了很久才明白，原来自己只是想知道自己的阴茎是否符合标准。

这听起来虽然很难为情，但是，这个问题我又不能不解决。

那么，答案是什么呢？

悄悄说给男孩听：

到了青春期，男孩子们也开始对自己的身体有了或多或少的疑问，这都是很正常的事情。

男孩在青春期，会把阴茎的大小看成自己未来生命力强弱的标志，最容易担忧阴茎长得小。为什么男孩一般会认为阴茎大了好呢？因为男孩误把阴茎的大小等同于自身的性能力强弱。其实，认为阴茎大性能力就强的观点是并不科学的。

青春期的男孩必须明白，阴茎的大小并不影响性能力，因为自己的“小弟弟”比别人的小而自卑是没有必要的。男孩要摒弃那种错误的认识，避免某些广告与偏见的影响，摆正自己的心态，因为男子汉的气概是多方面综合气质的表现，提升自己的人格修养，增加自己的学识才是最重要的。

另外，处于青春期的男孩，阴茎正是迅速发育的时候，有的长得较早，有的可能会晚些，所以，不必过早在意。

一滴精真的等于十滴血吗？

精液到底是什么东西呢？当我把这个问题抛给楠楠的时候，楠楠很严肃地对我说："我听过一种说法，说一滴精液等于十滴血呢！"

看到楠楠严肃的表情，我不再觉得他是开玩笑了。想到这里，我也紧张起来。这精液到底是由什么组成的呢？

悄悄说给男孩听：

在中国古老的中医学里，精液被认为是十分重要的，"中医讲精是人的精华，也是'元神'，所以称之为精"。男孩们从中可以领会到的是精液的重要性，然而，这种说法是不是有它的科学根据呢？这就不能凭空而论了，需要找到足够的理由来证明

“一滴精十滴血”的说法是否真实。

事实上，科学发现，血液和精液之间是没有任何关系的，这一点只要分析一下精液的成分就会清楚了。精液中除含有精子之外，其他部分叫作精浆，而精浆的成分和血浆相比是没有多少差异的，除却90%的水分外，它是由极少量的蛋白质、糖和微量元素等物质构成的。所以，“一滴精十滴血”的说法是没有科学根据的。同时，成熟的睾丸在垂体分泌的促性腺激素作用下分泌雄性激素，使精子在睾丸中产生，与此同时，会伴随着排精现象的出现，而排精液的损失和唾液的流出差不多——两者都可以很快地由相关分泌腺分泌出来。

然而，如果不排精的话，精囊腺内储存的精子会越来越多，虽然其内部环境有利于精子的成熟和存活，但是里面的精子也不能无限期地存活下去，因为它们会有一个不断老去、丧失活力的过程。相反，排精还有助于使附睾内老化的精子和新生的精子维持有益的平衡，从而保持身体的健康。这就是人们常说的“精满自溢”，它本身是人体的一种调节。所以，处在青春期的男孩们不要害怕排精会损耗精力，也不用担心自己的身体会因此而出现什么疾病。而“一滴精十滴血”的说法更是不合情理、不科学的，男孩们要正确对待青春期的排精现象，保持身心愉快，抛弃错误的传统认识。

为什么有的人要割包皮？

快放假了，我问楠楠要去哪里玩，他神神秘秘地把我拉到一个角落里，对我说他假期要做一个手术。听到“手术”两个字，我吓坏了，立即问他怎么了，要做什么手术。

楠楠不好意思地小声说：“是一个秘密手术，你别告诉别人啊！”

看到他神神秘秘的样子，我忍不住笑了起来。

“看来你要生娃娃了。”

楠楠知道我在开玩笑，也不生气，用眼睛左右扫了扫，看没人注意，便把声音压到最低，说：“是割包皮，一个小手术。”

“包皮？这是什么皮？”

我说话声音有点儿大，几个邻近的同学扭过头来看着我们俩，楠楠连忙把我拉出教室。

后来我才搞清楚这个问题，可是，为什么要割呢？

悄悄说给男孩听：

所谓包皮，是指在阴茎头处褶成双层的皮肤。男孩的包皮会有一些差异，有的显得长些，有的则刚盖住龟头。包皮的功过自有不同的说法，有的人认为，包皮能保护阴茎，而有的人则认为过长会藏污垢，不利于健康。现在关于包皮手术的广告铺天盖地，讲述着包皮过长给成年人造成的负面影响。但是，到底什么样的状态才称得上“包皮过长”呢？

一般在青春期，阴茎会猛增，龟头也开始膨胀，勃起时龟头就会暴露出来。正常情况下，此时能把包皮轻易拉到龟头后面去，并不再完全盖住龟头。但是，也有一部分男孩子进入青春期后，阴茎头仍然被包皮严实地覆盖，不能显露出来，这就是所谓的“包皮过长”。严重者则包皮无法往后拉，龟头也无法完全显露时，就被称为“完全性包茎”。

包皮过长会隐藏分泌物，给细菌提供滋生的环境，从而引起包皮发炎，导致龟头红肿、痒痛，严重者会糜烂、溃疡、有异味、诱发阴茎癌等。青春期是男孩转为男人的过渡期，为了成年后的健康，对包皮过长的情况应给予高度重视。

一般来说，如果包皮稍微长点，开口宽大易于上翻，这样也便于清洗，只要多注意清洁，经常将包皮翻过来彻底清洗并保持干燥就不会影响正常的生活。但是，如果包皮开口过小，不便于清洗，并且曾引起过阴茎发炎等情况的话，就应该考虑进行包皮环状切除手术。

它总是不合时宜地表现一下

有时候无意中看到了一些性启示的画面，我的“小弟弟”就会不时地表现一下，让我很尴尬。

只有控制住它才能让我不至于很难为情，可是怎样才能控制住它呢？

悄悄说给男孩听：

青春期男孩子随着身体的发育、性意识的萌发和性激素分泌的增多，开始对异性有了明确的认识和感觉。比如，开始注意观察女性的胸部和臀部，出现梦里遗精的现象，看到漂亮的女孩子“小弟弟”就会挺立，等等，这些都是正常的生理现象，是男性正常生长发育阶段的特征，根本没有好坏之分。

事实上，阴茎勃起是男人的一种本能活动，它受生理和心理双重因素的影响。

从生理角度而言，任何年龄段的男性都会出现勃起现象。

青春期的男孩更为明显，每晚可勃起六次左右，每次持续20 ~ 30分钟；青壮年男子每晚平均每1 ~ 1.5小时勃起一次，中年以后次数逐渐减少。

从心理角度而言，进入青春期后，青少年会产生一定的性要求，当受到性刺激时，阴茎就会勃起。

那么，男性的阴茎是怎么勃起的呢？

原来，在男性阴茎内部有三根长海绵体，海绵体内有血管丛，它们都有朝一个方向开放的活塞瓣膜装置，起类似阀门的作用。当男性出现性兴奋时，阴茎内的瓣膜就会自动关闭，血管丛在神经兴奋的作用下同时扩张，血液便大量流入阴茎，引起海绵体膨胀，阴茎就勃起变硬了。

阴茎勃起在持续十几分钟后，在不持续刺激的情况下会自行消解，还有一种就是在射精的情况下会使得阴茎内动脉收缩，血液流入减少，海绵体变小，阴茎又恢复原状，这就是阴茎能硬能软的原因。

因此，要让正处于性意识骚动期的男孩认识到，阴茎勃起是正常的现象，与一个人的道德品质并没有关系。

1. 正确认识并坦然面对阴茎勃起

青春期男孩的阴茎勃起是非常正常的现象，是自己身心成长的一种表现。因此，不要胡思乱想，要坦然面对这一现象，不要有过重的心理负担，不要过分关注它，不要过多地将注意力引向性兴奋状态，否则，更易使其勃起。如果在公共场合出现阴茎勃起，就要坦然面对，尽快转移注意力就能使性兴奋中枢得到抑制，勃起现象也会消失。

2. 减少性刺激

阴茎勃起的直接原因就是性刺激，因此，减少性刺激是减少突然勃起的好办法。因为，如果频繁刺激，使阴茎长期处于充血状态，则容易诱发前列腺炎，还会消耗精力，加重心理负担。

所以，青春期男孩要尽量少看带有色情元素的书刊、影视片、网页等，不沉溺于性幻想中，不穿紧身内裤，以免频繁摩擦生殖器，不要随意触摸生殖器等。

3. 丰富自己的生活

青春期男孩子的精力非常旺盛，如果自己的兴趣广泛，生活丰富多彩，一方面精力会被转移、分散，另一方面也会消耗很多精力，使自己不会把注意力过多地集中在性问题上，避免阴茎频繁勃起。

为什么“小弟弟”总会偏向一侧？

为什么“小弟弟”会偏向一侧呢？我怎么和别人不同呢？我是不是生病了？

这个问题我想问爸爸，但是坐到爸爸身边，却又开不了口。想问妈妈，这太难为情了。想问同学，估计他们和我一样也不懂。想去医院看医生，可是我又没有钱。

这成了我的一个心结，给我带来的压力越来越大。谁能帮我解决这个问题呢？

悄悄说给男孩听：

许多男孩发现自己的“小弟弟”在勃起时总会偏向一边，这些男孩子会担心弯曲的“小弟弟”对他们成人后的生活不利。其实，阴茎偏向一边大多数男孩都会有这种情况。一般情况下，阴茎偏向一边是正常的现象，如果不是由于包皮系带过短，导致勃起后发生偏向一边的情况，就不需要过度担心。在医学上，阴茎弯曲称为“阴茎海绵体白膜异常”，也就是如果左边部分白膜较多，于是就会把阴茎拉向右边；如果右边部分白膜过多，就会把阴茎拉向左边。有人经过观察和调查发现，那些习惯用右手触摸阴茎的人，其右侧的阴茎海绵体的发育就较快，在勃起的时候阴茎就会向左侧偏，反之亦然。

目前，还没发现阴茎弯曲和穿过紧的衣服有关，但是处于青春期的男孩，阴茎处于发育速度较快的阶段，最好还是选择宽松的裤子，这样可以给阴茎提供一个相对自由、宽松的环境。如果男孩们很介意阴茎总是偏向一边，不妨在触摸阴茎时经常左右手交替进行。其实阴茎偏向一边是正常的生理现象，只有极少数男性的阴茎是直立的，并且阴茎弯曲也不会影响日后的生活。

半夜醒来“小弟弟”会勃起

我平时睡得很好，一觉基本睡到大天亮。昨天我睡前喝水喝多了，睡到半夜不得不醒来，摸索着打开台灯，迷迷糊糊地走向卫生间。

在打开卫生间的灯时，我在镜子里看到了奇怪的现象，自己的“小弟弟”居然胀了起来，把内裤支撑成了一个小帐篷。

这是怎么回事？我回忆了一下，自己没有做性梦，也没有关于这方面的想法，那为什么自己的“小弟弟”会这样呢？

后来，我和楠楠他们聊天的时候，发现其他男孩子也会有这样的情况，很多男同学说，有时候半夜迷迷糊糊的，会发现自己的“小弟弟”勃起了，不过过不了一会儿，就会软下去了。

这到底是怎么回事呢？

悄悄说给男孩听：

男孩们在一起有时会谈论到“小弟弟”勃起的话题，但是，一般都是在受到外界刺激，特别是性刺激时才会如此，为什么半夜“小弟弟”也会勃起呢？

这是因为随着青春期的到来，男性的阴茎增大，逐渐发育成熟，在这时，由于性激素的大量分泌，会带来一些生理上的不平衡，同时也使男孩们心理上发生很大变化。这个阶段，大多数男孩夜里醒来会发现阴茎硬邦邦的，怎么都无法让它变软，他们就为这种现象感觉不安和内疚，以为这是不正常的，便生出很多烦恼，就连白天看女孩的眼神里也充满愧疚。专家认为，青春期男孩每晚平均可勃起六次左右，每次勃起的时间可达20～30分钟，这是很正常的现象。

为什么阴茎会在半夜勃起呢？这就得从我们的睡眠谈起，从我们躺在床上到入睡，来回不停地改变睡姿的时候，阴茎就会勃起，而通常我们一个晚上要周而复始地改变四五次睡姿，这也正是阴茎一晚要勃起好几次的原因。而在这四五次之外的时间，阴茎通常是缩小的、柔软的。这时发生阴茎勃起现象，不必慌张，也不必刻意去控制，这是很正常的，往往过一段时间，它就会自然地软下去。

从另一点来说，白天男孩所接触的东西也会刺激雄性激素的分泌。青少年在心理、视觉、触觉等刺激下都可以迅速产生阴茎勃起，雄性激素的作用使阴茎对上述刺激十分敏感，这种情况在睡眠的时候也会继续刺激男孩的大脑，从而影响雄性激素分泌，这时阴茎海绵体内的血液迅速增加到平时的很多倍，就会勃起。男孩控制外在的刺激，对青春期的健康是很重要的，比如不看黄色的书刊和电影，和女孩保持适度的交往等。

半夜醒来阴茎会勃起，这是青春期正常的生理现象。青少年在成熟过程中，可以慢慢控制自己的好奇心理并正确对待自身的生理变化，慢慢适应这种反应，从而使自己的身心都健康地发展。

遗精了，我该怎么办？

最近出去逛街，我见到女孩子总是喜欢盯着她们的胸部和臀部看，而且总是胡思乱想。这使得我整日心事重重，看见女孩子就赶紧低头。

糟糕的事情接踵而来，一天半夜，我在一阵激动后醒来，发现内裤湿了。起初，我以为是自己尿床了，可是看看床上也没湿，而且内裤上的东西摸着也不像尿液，黏黏乎乎的。我不知道是怎么回事，琢磨了半天，也没有得出答案。为了不让父母知道，我悄悄地将内裤换下来洗了。

这样几次之后，一天我想趁早上父母还没起床的时候把弄脏的内裤洗干净，结果被母亲撞个正着。妈妈问我：“你这么早起来做什么？”

妈妈看着我，又看看我手里拿着的内裤就明白是怎么回事了。

妈妈看到我窘迫的样子，派爸爸来给我上课。爸爸都给我讲了什么呢？

悄悄说给男孩听：

男孩首次遗精平均年龄为13～15岁，从11～18岁均可首次出现。男性的精液来自睾丸，随着身体的不断发育，生殖器官也趋于成熟，睾丸生产的精子越来越多，经过不断积累，当达到一种饱和状态时，它就会通过遗精的方式排出体外，这就是常说的“精满自溢”，一般发生在睡梦当中。

用科学的眼光看，遗精其实是一个正常的生理现象，指的是不经性交而精液自行泄出的现象，通常发生在睡梦中。当然，也可能是无梦而遗。遗精现象可以分为两种情况，即生理性遗精和病理性遗精。如果遗精次数为一周两次或是更长时间一次，身体没有伴随任何不适症状，那么基本上属于生理性遗精。生理性遗精对身体没有任何损害，也不影响学习和生活。但是，如果遗精次数过于频繁，一周数次或是一夜数次，清醒状态下因为性意念而引发遗精，这样的遗精现象就属于病理性遗精，应该引起足够的重视并应该及时接受相应的治疗。

当然，遗精这种现象并没有规律可循，也并不是每个进入青春期的男孩子都会遗精。有人曾经做过调查，遗精现象因人而异，与不同人的家庭经济状况或受教育程度有一定的关系。

14～45岁的男性人群中，高达90%的男子在某一境遇下有过遗精现象。虽然每个人遭遇的遗精状况不同，但是有一点男孩们一定要了解，那就是遗精不是不道德的事情，不要遮遮掩掩，更没有必要恐慌。

遗精现象非但不是一件坏事，相反，它在某些方面对逐渐成长起来的男子汉来说还有不少益处呢，这主要表现在以下几个方面：

首先，遗精在某种程度上可以解除自身的性紧张，使得男孩在心理和生理上找到一些平衡，这方面已经得到了医学界的普遍认同。这一点对男孩子的性成熟方面起着很重要的作用。

其次，遗精还有利于种族繁衍。这是因为精液周期性地排出能够提高精子的质量，也就是增强精子的生育能力。

最后，青春期的遗精现象还有助于男孩子的性别分辨和认同，遗精现象的发生正说明男孩子开始走向成熟。

虽然遗精属于男性性发育的正常生理现象，但是这一时期的男孩子依然需要进行一些保健工作，这样才能更好地保证性发育的正常进行。这里给小男子汉们介绍一些相关的保健常识：

要正确认识遗精现象，不要为此忧心忡忡，继而给自己增加精神负担。即使真的属于病理性遗精，也依然有方法能够帮助治疗。千万不要听信别人的传言而遮遮掩掩，或是病急乱投医，在某些隐蔽地方的墙上找来一些小广告而慌乱地接受不正规的治疗，这样的后果是很严重的。

睡觉时可以采取侧卧位，避免仰卧，这样能够减少手或被子对生殖器的压力。尽量不要穿过于紧身的裤子，因为裤子过紧生殖器容易受到刺激，这样就很容易引起性兴奋而遗精。

养成良好的生活习惯，不要频繁地与烟、酒、茶、咖啡、葱、蒜等接触。消除杂念，不要看黄色书刊、影视片，要通过正当的途径了解性知识。晚上睡觉之前尽量不要用热水洗澡，条件允许的话可选择冷水浴，这样可以降低性神经的兴奋度。

进入青春期后，对于发生在自己身上的新状况要给予及时的关注，切不可随意听信他人的说法，也不要觉得遗精是多么让人害羞的事情。相反，自己正伴随遗精而踏过了青春的门槛，行走在通往成熟的大道上。认识到了这一点，相信那个曾经阳光的男孩依然会自信地走下去。

"流白"是怎么回事?

我有个年龄差不多的表哥，暑假，我常常邀请他来家里住上一段时间。今年暑假，表哥早早地就来我家了。一天，我从外边回来，发现表哥满脸担忧地坐在床边。

"你怎么了，刚才叫你你也不出去玩儿。"

表哥不好意思地看着我:"我，我有点不舒服。"

"你怎么了，是不是生病了，我叫妈妈去。"我准备把在客厅看电视的妈妈叫进来，却被表哥一把拉住。

"别叫妈妈，"表哥一脸紧张，"我告诉你，我，我可能得什么奇怪的病了。"表哥的语言和表情弄得我也很紧张。

在我的不断追问下，表哥才告诉我，这几天，他总是发现自己的尿道口有白色的分泌物，这在以前从来没有发现过。表哥认为自己得病了，但我也不知道这是怎么回事。

为了解开这个疑团，我俩坐在计算机前查了起来。

悄悄说给男孩听：

进入青春期后，男孩子便会对性刺激敏感了。当男孩接受到视听上的性刺激时便由尿道口流出一些清凉的分泌物，分泌物有时还会略带乳白色，这在医学上称为“流白”。

一般情况下，男孩子性成熟后便具备了生育的能力，尿道后端膀胱颈处的前列腺便会分泌前列腺液，腺液则具有润滑、养护精子、增强其活性的作用，这也是人类进化过程中保留下来的生理功能。

上文所说的“腺液”就是男孩“流白”中的分泌物。因为尿液和精液都是经由尿道排出，所以，“流白”发生在尿道口，这是一种正常的生理反应。但这种“润滑剂”里面没有精子，当阴茎勃起海绵体充血时“流白”就会更多，是为夫妻生活做准备的。有人认为，“流白”是肾亏的原因，这是一种错误的认识。

因此，青春期的男孩子“流白”是正常的生理现象。如果男孩因“流白”而困扰，可以尽量避开一些视听方面的性刺激，自己意识里也要适当控制有关性刺激的事情，与异性交往要适度，专心于学习，转移注意力。其实，“流白”对身体并没有什么损害，也不会影响到生活和学习，男孩们无须为此担忧。

要怎样对待隐秘部位？

好像一夜之间，我突然觉得自己长大了。我不再敢在家里穿着一条内裤乱窜，也不好意思洗完澡以后一丝不挂地回卧室。这一切都源于我的“小弟弟”。

为了隐藏我的秘密，我穿了一条紧身内裤，可是一天下来，身体很不舒服。

妈妈好像无意中发现了我的秘密，她又派爸爸来给我讲故事。

悄悄说给男孩听：

步入青春期的男孩有必要认识自己身体至关重要的器官——生殖器。

生殖器，也叫性器官，顾名思义，也就是繁殖后代的器官。因此，它对人类所起的重要作用也就不言而喻。

男性的生殖系统主要是由内生殖器和外生殖器两部分构成，外生殖器包括阴囊和阴茎，内生殖器包括生殖腺体，也就是睾丸、排精管道（附睾、输精管、射精管和尿道）以及附属腺体（精囊腺、前列腺和尿道球腺）。男孩子出生后的几年内，阴茎、阴囊和睾丸变化不大。当进入青春期后，阴茎开始逐渐变长变粗，阴囊和睾丸逐渐增长，且附近的皮肤颜色逐渐变黑，并在附近长出阴毛。

青春期正是男孩性器官成长的敏感时期，青春期又被称为“是非期”或是“朦胧期”，但是对性器官的保护却不能粗心大意，因为这关系到男性一辈子的健康和幸福。

处于青春期性器官发育关键时期的男孩子需要注意以下几点：

一般而言，对青春期的男孩子来说，可针对几种常见的伤害来加强保护。

1. 运动伤害

青春期的男孩子精力旺盛、好动，尤其热衷于体育运动，这就容易造成伤害。比如，踢球时撞到、被球砸到，都可能对身体造成伤害。这其中，大多是阴囊创伤，其次才是阴茎损伤。因为阴茎只有在勃起时才容易被伤及，而在运动过程中很少有勃起的情况。此外，阴茎受伤多是在打闹、奔跑、跳跃时突受撞击所致，因此，在参与这些活动时要格外注意。一般情况下，轻微的撞击导致的疼痛在一段时间后会自动消失，并不会对身体功能产生太大影响。但是如果出现皮下、海绵体或龟头血肿、疼痛难忍等情况时，则要及时就医治疗。否则有可能引起勃起障碍，影响日后的性功能。

2. 游戏伤害

青春期男孩子强烈的好奇心、性冲动、性渴望也会给生殖器埋下伤害隐患。比如，过度手淫容易导致海绵体受伤，引起勃起障碍；将金属环、塑料带，甚至大号螺母等套在阴茎上没有及时取下，或阴茎包皮上翻后没有及时复位，都可能引起缩窄部末梢血液循环障碍，静脉回流受限，因此出现浮肿，严重时甚至阻断动脉血液供应，发生组织坏死。这些情况导致生殖器的伤害会很严重，要坚决避免，出现异常要及时就医治疗。

3. 摩擦伤害

青春期男孩子非常在意自己的形象，为了时髦常穿一些包裹太紧太严的内裤、很厚很紧的牛仔裤，再加上大运动量的活动，很容易使生殖器因过多的摩擦而导致伤害，或者因通风不畅、温度过高而导致其出现异常、疼痛，这可能会影响精子的生成，甚至不能正常产生精子。针对这种情况，男孩子要注意穿较为宽松的内裤、裤子，保持下身的通风、干燥，使得睾丸有一个宽松的外部环境，从而发挥最大的生理功能。

4. 高温伤害

高温伤害类似于摩擦引起的身体伤害，但如今很多人特别喜欢通过桑拿浴来放松身心、解除疲劳、祛病健身，但是，也正是桑拿浴成了很多男子不育症的元凶。要知道，精子产生于睾丸内，对温度的要求比较严格，必须在34℃～35℃的恒温条件下才能正常发育，而桑拿浴的温度要比这个温度高出许多，因而极不利于精子的产生、生长。因此，青春期的男孩们应慎洗桑拿浴。

5. 羞怯心理导致的伤害

青春期男孩子虽然自我意识和独立意识增强，但是在对待性的问题上，往往因为心态的不成熟和羞怯心理而不好意思去看医生，这样会延误治疗时机，而给身体造成更大的伤害。

6. 疑心导致的伤害

有一些青春期的男孩子不小心碰到了生殖器，其实并无大碍，但是他们总疑神疑鬼，生怕留下什么后遗症，但是又不好意思向家人说明或者看医生，以致造成不必要的精神负担。其实，生殖器是否正常，除了去医院检查外，平时也可进行自我检查。

可以用手摸睾丸表面看看它的表面是否光滑，硬度是否适中，是否有触痛，只要表面光滑，硬度适中，没有触痛，睾丸一般就没有什么问题。

第三章

我想更帅一点儿

青春期脸上长满痘痘怎么办？

前阵子还笑我们班女生脸上痘痘层出不穷，没过几天，我的脸上也开始长痘了。

看着脸上的痘痘，我真觉得很影响美观。当初我还拿女生脸上的痘痘开玩笑，现在成了大家拿我脸上的痘痘开玩笑了。

虽说我不用靠脸吃饭，但是这么多痘痘，也真是够我难受的。每次女生们把我当初对她们的攻击还回来的时候，我都有种说不出来的尴尬。

可是，这层出不穷的痘痘该怎么对付呢？

悄悄说给男孩听：

很多刚刚步入青春期的男孩都会有这样的烦恼：“既然给了

我青春的美好，为什么又让我遭遇到这么多讨厌的小痘痘？”继而发出这样的疑问：“我可不可以只要青春不要痘？”青春痘，虽然挂着“青春”的头衔，可相信不会有人喜欢它的到来。让人懊恼的是，青春期也恰恰是这些痘痘生长的黄金时段。男孩在步入青春期以后，体内的性激素分泌急剧增多，会刺激毛发的增长，从而促进体内皮脂腺分泌更多的油脂，毛发和皮脂腺周围因此会堆积许多物质，使油脂和细菌附着，引发皮肤红肿，这也就是青春痘的出现。

当然，并不是每个青春期的男孩都会长痘痘，痘痘也不是只长在青春期的青少年身上。青春痘的出现除了与青春期的生理特征有关外，青少年平时的生活环境和习惯也会对青春痘的出现产生影响。如果长时间生活不规律，经常熬夜导致睡眠不足，或是平时压力过大使得心情长期处于低谷，或是饮食习惯不好等情况都会加剧青春痘的生长。虽然在很多时候并不能够完全控制青春痘的出现，但还是有很多方法能够帮助男孩们正确应对。这里介绍一些“战痘秘招”，会对爱美的男孩们有所帮助。

起床后、睡觉前清洗面部，保持脸部干净清爽，可以避免污物堵塞毛孔。洗脸后，可以对脸部进行一定的保养，这就要在挑选护肤品时注意选择适合自己的。一般来讲，油性皮肤的人如果选择油性的护肤品无疑是雪上加霜，这样反而给痘痘提供了一张“滋生的温床”。皮肤油性较大的人还是适宜选用稀薄奶液状的护肤品。同时需要注意，晚上睡前一定要认真洗脸。

喜欢长发飘飘的男孩子应该了解，长头发很容易披散到脸部，容易刺激皮肤从而引起痘痘的出现。

不要随意用手碰触脸部，即使已经长出了痘痘，也不要用手挤压，这样很容易引起皮肤化脓发炎，同时脓疮破溃后往往会形成疤痕和色素沉着，而且很多时候会留下一些凹洞，这样就真的是得不偿失了。

养成健康的饮食习惯，对预防青春痘是有很多益处的。平时吃饭的时候，尽量挑选清淡的食物，多饮水，多吃蔬菜和水果。浓茶、咖啡、可可、巧克力等极容易激发油脂及内分泌不平衡，这样会刺激皮肤形成更为严重的青春痘。因此，平时尽量少接触这些食物。同时，吸烟和酗酒的一个不良后果便是痘痘频繁冒出，因此，爱美的男孩子可要加倍小心了。

容易在嘴边长青春痘的人要留意一下，牙膏中的氟化物容易诱发青春痘，所以这些人可以选择不含氟的牙膏来使用，或是刷完牙以后一定要将嘴边残留的牙膏清干净。还有一点很重要，那就是每天保持良好的睡眠和愉快的心情。心情好了，也就不会那么关注痘痘了。其实痘痘也很有意思，如果男孩们一直与它纠缠，它也就“从容应对”，会与你开展持久战。很多时候不妨轻视它，那么失去斗志的它可能在不久后就灰溜溜地消失了。其实对于这些讨厌的痘痘，正处在青春期发育的男孩们也没有必要太过恐慌，只要平时多注意自身的清洁卫生，养成良好的生活习惯，每天保持好的心情，那么这些痘痘也就不会长时间“干扰你”了。

胡子越来越多，能不能拔掉？

“昊昊，你拔过胡子吗？”刚到学校，楠楠就急急地跑过来问我。

看着他着急的样子，我立即回应：“没有啊，看你这神色，拔胡子怎么了？”

“告诉你，千万不要拔胡子！”楠楠听到我的话，似乎松了一口气，“昨天去我姨妈家了，本来去找表哥陪我到商场买乒乓球拍，看到我表哥，吓了一大跳，几天不见帅哥变怪兽了，那张脸啊，都不能用‘惨’来形容了。”

“怎么了？”

“拔胡子拔的呗，感染了。脸上抹的都是药水，说要等一阵子才能好。”楠楠说。

“不会吧？拔个胡子这么严重？我们拔根头发怎么一点事都没有啊？”我有点不敢相信。

“真的，我表哥警告我千万别拔。所以我就问你有没有拔过。没拔过千万别去试，太可怕了。”楠楠一边说一边叹了口气。

听完楠楠的话，我也有点害怕了。

悄悄说给男孩听：

刚刚步入青春期的男孩就要面对胡子了，在如何处理方面会存在一些盲点或误区，而这误区往往会对自己造成一定的伤害。因此，男孩子有必要对自己的胡须有更为充分的认识，并掌握一定的保健常识，以使自己能够正确地善待胡须。

男孩子在进入青春期后才会长出胡子，这是体内分泌的雄性激素激发出来的，而且刚开始出现的胡子通常比较稀疏、比较细，有种茸茸的感觉，因此有些男孩子就会觉得很不雅观，于是他们就学着大人那样每天起来都将胡子剃掉。其实这样做完全没有必要，随着青春期的发育，胡须会自己慢慢变得茂盛起来的。

但是有些男孩子会对着镜子拔胡子，这样的做法可就要不得了。因为胡须周围有丰富的血管和组织，如果用手拔的话很容易损伤这些组织，不仅自己感到疼痛，而且很有可能因为手的不洁净而使得细菌侵入皮肤而损伤毛囊，引起炎症，如果情况更严重的话很有可能会导致永久性的脱毛症状。而从另一个角度而言，如果拔胡子这种行为进行得很频繁，那么会使新长出来的胡须参差不齐，在颜色和形状方面会变得很奇怪。所以，男孩子可一定要记住，千万不要用手拔自己的胡子，这样子会伤害到自己的。

当然，也有一些男孩子喜欢把胡须留起来，因为他们可能觉得这样看起来很有个性。那么，蓄须究竟好还是不好？国外专家曾经做过这样的实验，他们将男性刮下的胡须放在气相色谱仪下进行分析，发现里面有数十种有害物质，如二氧化碳、氮氧化物和铅等重金属元素，在显微镜下还发现胡须上存留很多微生物，因此他们得出结论，胡须有吸附有害物质的特性，而且人每天自己的呼吸中就能排出很多有害气体，这些气体很有可能会滞留在胡须里，当人进行呼吸的时候很有可能再次被吸入呼吸道，危害自己的身体健康。因此，如果胡须长了还是刮掉比较好。

当男孩子的胡须逐渐长长并形成一定气候的时候，也就到了需要剃须的时候。而剃须也需要注意以下事项：

剃须前需要用中性肥皂将脸部清洗干净，这样能够防止刀片碰伤皮肤。在剃须前最好用热水将胡须软化，稍停片刻再涂上一层肥皂液，准备工作做好以后再进行正式的剃须动作，这样能够有效减少对皮肤的刺激和伤害。在剃须时可以用一只手帮助绷紧脸部的皮肤，这样就能减少刀片受到的阻力，而且有助于将胡须刮净，这对于那些皮肤并不光滑的男性来说大有好处。还有一点需要注意，当刮须动作结束后，可以用热毛巾敷几分钟，然后再涂抹一些护肤品，这样能对皮肤起到一定的“安抚”作用。

总被别人说驼背

周末和爸爸妈妈去逛街。正走着，妈妈指着前边一个男生对我说：“昊昊，你看看，前边那个男孩是不是很帅？”

听完妈妈的话我向前一看，确实，男孩容貌衣着都很不错，收拾得挺利落的。可是，他低着头，弯着身子，有点儿驼背，这让他的形象大打折扣。想到这里，我明白了妈妈的意图。

因为我也有这个毛病，妈妈经常这么说我。想到这里，我不好意思地低下了头。

悄悄说给男孩听：

驼背是脊椎变形的一种。骨骼是人体的支架，脊柱是中轴，它由三十多节椎骨按规律连接而成。正常情况下，脊柱有四个生理弯曲，从侧面看呈S形，包括颈椎前凸、胸椎后凸、腰椎前凸和骶椎后凸。如果脊柱向前弯曲度过大，就是驼背。

除外伤以外，有多种情况可能导致男孩驼背。

青春期男孩出现驼背是很常见的，至于驼背的原因，科学研究还没明确告知，但是根据观察和分析，一般认为这是由于脊椎承受的负荷超出其负载能力而导致平衡失调引起的。有的同学会因此得来“骆驼”的绰号。所以了解一下驼背的原因，有助于男孩们远离驼背。专家指出，青少年驼背除了遗传或外伤导致的脊柱变形外，更多的是由于平时身姿不对等后天原因造成脊柱变形而形成的。青春期的同学，由于要适应身体和心理的各方面变化，情绪不稳定，挑食、偏食等现象很普遍，这样会造成营养的不充足、不均衡，再加上体育锻炼过少，就会出现驼背现象。

当然，处于青春期的男孩驼背和年龄阶段也有很大关系，因为，青春期男孩的身高增长很快，有的男孩可能在12～13岁的一年里就增高12厘米。但是，在身高增长时也会出现“慢”的问题，比如，肌肉增长慢、身体横向增长慢等，这就造成身体纵向拉长，而横向的增长却跟不上纵向的增长。男孩与女孩相比，个子增幅会更大，再加上天天坐在教室学习，如果坐姿不正确，很容易导致驼背。

青春期的男孩，由于没有完全适应身体和心理的变化，会出现缺乏自信心、性格孤僻、怯懦等心理问题，导致男孩形成低着头走路的习惯，久而久之也会形成驼背。此外，现在学生的负担很重，沉重的书包也是造成驼背的一大因素。

驼背对处于青春期的男孩来说不是个小问题，男孩驼背一旦脊柱变形就会大大降低男孩外在的美感，使男孩成年后变得“萎萎缩缩”。不仅影响自己的形体美，而且会牵拉胸部前面的韧带而影响呼吸功能，影响心肺发育，使人易产生疲劳感，不能坚持长时间站立。

那么，青春期男孩如何预防和纠正驼背呢?

1. 注意坐立姿势，克服不良习惯

多数的驼背并非遗传或疾病所致，而是长期的不良姿势所致，所以预防、矫正驼背也要从矫正姿势开始，要克服低头走路、不注意坐立行走姿势等不良习惯。俗话说“站如松、坐如钟、动如风、卧如弓”，它形象地说出了男孩在日常生活中应该采取的四种正确的身体姿势。男孩们要注意端正身体的姿势，平时无论站立、行走，胸部自然挺直，两肩向后自然舒展；坐时脊柱挺直；看书写字时不过分低头，更不要趴在桌子上。

2. 拒绝软床

青春期男孩的骨骼中有机物成分较多，韧性较好，具有较大的可塑性，故此时的男孩最好睡硬板床，不要垫过高的枕头，以使脊柱在睡眠时保持平直。

3. 补充骨骼所需营养

为了防止驼背，减少运动不足和坐姿不良带来的影响，青春期男孩需要全面补充骨骼所需要的营养，改善骨内循环，除了我们熟知的钙和维生素D的补充外，使骨骼健壮还需要各种营养物质的及时补充，如蛋白质、钾等，可多食用低脂奶制品、无皮家禽肉、各种豆类、香蕉、橙子、烤土豆、李子、葡萄干、西兰花、菠菜、甘蓝、西芹、西红柿等。

4. 加强腰背部肌肉的锻炼

预防驼背需要加强腰背部肌肉的锻炼，使这部分肌肉健壮而有力，不易疲劳，认真上好体育课，做好课间操，可有效地预防驼背。散步、跑步、游泳、骑自行车都是很有效的运动方式。

如果已经发现有轻微驼背，需要在全面锻炼的基础上做矫正体操。矫正操主要以增强背肌、挺直躯干和扩张胸廓为主。可以采用下列方法进行矫治：

（1）贴墙站立。后背贴墙站立，重心在脚跟位置。还可以将前脚垫高来进行（厚度以20～30毫米为宜），经常进行这样的站姿练习，就可以预防和矫正驼背。

（2）振臂式。振臂包括侧向振臂和后仰振臂两种方法。侧向振臂是上身端正地坐在椅子上，或两腿分开站立，两手伸直，举于头的两侧，掌心相对，适当用力使腰部以上的身体向左向右往复摆动，根据个人情况反复进行30～40次即可。

后仰振臂法是保持身体端正地坐在椅子上，两臂伸直，从前方向上向后举起，同时头向后仰。或两臂伸直从身体两侧平举由前向后运动，同时头部后仰，每次十分钟左右，每天3～4次。

（3）爬行法。两手和两脚尖着地，像婴儿一样在地上爬行。每次10 ~ 15分钟，每日爬两次。

（4）俯卧撑法。两手两脚同时触地，将头、颈和身体撑起。练习时曲肘推臂，身体挺直上下运动而不着地，根据个人情况反复10 ~ 20次，每天可多进行几次。

如何防止大油脸

为了我的脸，我已经苦恼了很久了。很多人觉得很奇怪，说我怎么这么在意自己的脸呢？男子汉大丈夫，脸上什么样有那么重要吗？

每次他们看到我以后，就没人再说了。倒不是说我脸有多么不美观，而是实在太油了。夏天的时候，出点儿汗，脸上就如同出油似的，油花花的，这么说一点儿都不过分。因为脸上油脂太多，痘痘也是层出不穷。有时候，连我自己都讨厌我这张脸了。

悄悄说给男孩听：

我们经常会看到班里的一些同学，他们的脸很油，让人感觉不够清爽，怎样才能告别大油脸、做清爽的青春少年，这成了很多男孩关注的问题。其实，皮肤出油是很正常的，它与以下几个因素有关：第一，温度，温度上升会让我们看起来油光满面。第二，激素的分泌也会造成皮肤的油腻。第三，皮肤油和水的不平衡也会造成皮肤油腻。第四，情绪不稳定、生活不规律。因此，告别大油脸，对处于青春期的男孩们来说，可以有针对性地采取措施。

青春期的男孩要特别注意的是水油平衡和生活规律的问题。因为，温度不在我们的掌握之中，激素的分泌我们也无法控制。所以，我们可以采取以下几种办法告别大油脸：

（1）不要吃太多油腻的食物，控制身体吸取的油脂，这样不但可以减肥，还可以控制皮肤油脂的分泌。

（2）要养成多喝水的习惯。毕竟，水是生命之源，水分充足可以冲淡油脂，保持水油平衡，能减少油脂的分泌。因为一般皮肤缺水时，才会分泌油脂以滋润皮肤。

（3）多吃瓜果蔬菜，科学研究发现，维生素有减少油脂分泌的功效，而瓜果蔬菜里面含有大量的维生素对皮肤有益。

（4）最重要的是综合调理。做一个心情愉快的青春期男孩，按时作息，饮食健康合理，做好皮肤的清洁工作，就能避免油脂在面部堆积，令皮肤洁净清爽。

汗臭味怎么都去不掉，怎么办？

原来我和同桌相处得特别愉快，可是，最近每次我运动完回到座位上，同桌总是皱着眉头看着我。对他的这种反应，我开始的理解是，他觉得我不好好学习就喜欢运动。后来我发现不是这个原因，于是忍不住想问清楚到底怎么回事。

“昊昊，原来你运动完回来没什么事，可是最近你运动完回来总有很大的汗臭味，一直到第二天味道才会消失。我也很奇怪，你是怎么了，原来没这么大味啊。”

听完同桌的话，我也有点不好意思了，我这是怎么了？

悄悄说给男孩听：

随着青春期的到来，男孩迎来了人生的转折，有许多惊喜不断出现，但是也会出现一些让人烦恼的事情。有的男孩会发现自己身上开始有一种刺鼻的汗臭味，特别是那些爱运动的男孩子。他们往往会因此而觉得很自卑，怕给别人带去不舒服的感觉，不敢和别人离得太近。很多男孩还会认为这是一种不会影响身体健康但又挥之不去的病。

到底这可恶的汗臭味是什么原因造成的呢？根据医生的解释，青春期的汗臭是一种正常现象，不是什么病症，它主要是由于青春期的孩子腺体分泌旺盛，大汗腺分泌增加，于是出现了大量的汗液。大汗腺主要分布在腋窝等不便于立即清洗的地方，这些汗液分泌多的部位，会有大量的细菌繁殖。而细菌则会把汗液分泌物分解成不饱和的脂肪酸和氨，因此就会散发出难闻的汗臭味。

一般来说，出汗对身体是很有益处的。它是人体正常的新陈代谢，可以把杂质带出体外，还可以调节体温，是机体的一种体液调节。

由上文可以看出，汗臭味并不是因出汗多直接引起的，汗液本身是不会散发出臭味的。其实，只要多注意个人卫生，及时清洗汗液分泌多的地方就会减少汗臭味。

青春期正是学生最爱美的时候，怕有汗臭味别人不喜欢自己，这种心态也是很正常的。但是，不能为此就不去运动，人为地减少出汗或抑制出汗，这种做法是不科学的。下面给出几点减轻汗臭味的方法，以供参考。

（1）锻炼汗腺：专家指出，锻炼汗腺对消除汗臭味有帮助。在闷热的时期，人坐在水温为43℃～44℃的浴池里，腰部以下浸在水里，十多分钟后，等汗液从胸部、腹部、背部流出后再洗澡，最后再喝些姜汤补充水分。

（2）勤洗澡，不让汗液在身上停留时间过长。汗液停留在身上就会滋生细菌，分解出难闻的气味，在运动后要及时洗澡，不让细菌滋生，就会减少汗臭味。

总之，只要男孩们多注意个人卫生，不让细菌在身体上大量繁殖，汗臭就不会困扰你们了。

头发总掉，应该怎么办？

要考试了，这几天我每天都很紧张地复习着。可是除了学习的压力外，我还有一件烦心事，就是我的头发总掉。

每次洗完澡，看着满地的碎头发，我都非常担心。我这么小就开始掉头发了，以后不会是秃头吧？

想到这里，我不由得倒吸了一口气，要真那样就太可怕了。

悄悄说给男孩听：

浓密乌黑的头发是男孩英俊帅气、生机盎然的象征。处于青春期的男孩，导致脱发的原因很多，也很复杂。根据现代医学的研究，青春期脱发主要是由以下原因引起的：

（1）遗传因素。脱发与遗传因素有一定的关系，如果父母脱发，其子女有的也会出现脱发的现象。

（2）营养失调。头发的生长发育状况与蛋白质、维生素和矿物质的摄入有着密切的关系。有的男孩喜欢挑食，很容易使机体内营养失衡，某些必要元素的摄入不足是导致脱发的一大原因。

（3）内分泌紊乱。男孩进入青春期之后，体内的各种激素水平开始发生重大变化，无论是雄性激素分泌过多，还是雌性激素分泌过少，都会引起脱发。

（4）过度用脑。青春期的男孩一般有很大的课业负担，以致用脑过度。大脑长久处于紧张状态，致使头部血液主要集中于脑部，头皮的血液相对减少而引起脱发。

（5）疾病因素。如果患有真菌感染、头皮湿疹、贫血等疾病都会导致脱发、秃发。一般来说青春期的男孩都会有脱发的现象，因为一个人的头发大约有10万根，时时处于新陈代谢之中，每昼夜脱落20～40根头发是很正常的。即使头发脱落得过多，有些也是暂时性的。

对于脱发的男孩来说，他们应该注意的是，要保持健康的心理，学习之余要多注意休息，多吃一些富含铜、铁、氨基酸的食物。

富含铜的食物有核桃、榛子等；含铁的食物有蛋类、菠菜等；芝麻、核桃、花生等食物富含硫氨酸，多食用可以促进毛发迅速生长。

要不要用文身纪念青春？

夏天到了，同学们衣服穿得少了，各种各样的文身就都露了出来。考试完返校的日子，我发现希希的胳膊上有一个彩色“小老虎”的图像。看着挺酷的，与他的衣服也挺配的。回到家我就跟爸爸说，我也想做一个那样的文身，爸爸一听就着急了。

“有好的不学学坏的，你怎么没看你们班谁考试进步很大，却专门看谁胳膊上有文身……”爸爸越说越生气，最后让我自己回房间好好反省反省。

看着爸爸生气的样子，我真的不知道自己哪里错了。

悄悄说给男孩听：

喜欢看香港警匪片的青少年也许会发现，影片中很多男性身上都有文身，或龙或虎或豹，抑或是某个情人的名字。文身似乎成了某一个特定群体的象征，象征着自己是虎胆英雄。而喜欢看明星演唱会的孩子也不难发现，出场的明星也往往是金发闪耀、光彩夺目的。走出电视，走在真实的生活世界中，你依然能够轻易地发现身边有很多文身的人。

文身现在越来越成为一种时尚、一种艺术、一种文化，也渐渐成为“新新人类”彰显个性的一种方式。在生活里，他们确实看起来很另类，很吸引人的眼球。可是你知道吗？在文身的背后，他们也要付出沉重的代价。

光鲜的表面隐藏的，或许是男孩们不知道的伤害。关于文身后的遭遇，网上曾经流传这么一个说法：“想当兵就不能；想找个好老婆，女孩儿家人不乐意；走路时说你是小流氓；找工作时说你是混混。”这几句话真的说出了那些文身者的内心隐痛。

文身的时候，不仅要忍受皮肤割裂的疼痛，同时，你也没有办法保证文身的工具已经过严格的消毒。最近常有媒体报道一些文身店因为没有正规的消毒程序而导致顾客感染的事例，因此，文身的过程其实是存在很大风险的。

同时，一旦文身了，这些图案就会伴随你一生，即使自己后来不喜欢了，目前为止也没有什么方法能够完全彻底地将这些图案去除。

为什么我不能像明星一样染发？

新学期开学第一天，班里最热的话题不再是这学期各科的任课老师，而是希希的一头酒红色头发。

虽然我们都觉得希希挺适合这种颜色的，但是我们都很担心他会被老师批评。

果不其然，班主任一发现希希的头发就皱起了眉头。希希吓得立即低下头，大气都不敢出。到了下课时间，老师就把希希叫到了办公室。

第二天，我们再见到希希的时候，他的头发已经变成了原来的黑色。

我们都替他惋惜。青少年到底能不能染头发呢？

悄悄说给男孩听：

随着青春期的到来，男孩们也逐渐注重自己的外表。偶像明星的时尚造型被越来越多的男孩模仿。小时候的“和尚头”已经不能满足青春期男孩们的需求，他们喜欢把头发留长，并在发色上做文章。

爱美的男孩在变换头发颜色的时候，必须考虑健康问题。

目前，大多数染发剂中都含有过敏源——对苯二胺。这种物质很容易引起皮肤红肿、发痒、湿疹等过敏症状。还有一些染发剂中含有芳香胺类化合物，这是一种致癌物质。另外，染料经皮肤、毛囊进入人体，然后进入血液，很有可能破坏血细胞，对身体有百害而无一利。

有一对英国夫妇，妻子是金发碧眼，丈夫却有着棕色的头发。丈夫很爱妻子，非常想拥有和妻子一样的金发，于是他总是不断染发。后来，电视上报道说他常使用的那种染发剂有问题，会严重影响身体健康，他便说出了这样的话：“我喜欢金发，但我不能用健康来换取美丽。不知道之前染发是否已经影响到我的健康，但今后我不会再染发了。”每个人都应该用这样的理智来维护自己的健康。盲目模仿明星染发会严重损害青少年的健康，爱美的男孩还是要三思而后行，因为健康比时尚、潮流更重要。

奇装异服不是帅？

电视上轮番轰炸的青春偶像剧里，男主角的装扮和我们平时的校服差别实在太大了。对于每天都穿校服的我来说，很想去尝试一下那种风格的衣服。

星期天的时候，我没去上补习班，偷偷溜去了商场。用自己的零花钱，按照电视里男主角衣服的样子，买了一套衣服，又去发廊做了头发，来了个一百八十度的大变样。因为爸爸妈妈出差，所以家里只有爷爷奶奶。他们对我一向很宽容，对我的另类表现就视而不见了。

星期一，学校有升旗仪式，必须穿校服。我非常期待周二的到来。

星期二到了，我把新买的一身衣服穿戴整齐就上学去了。

大家看到我的装扮，都瞪大了眼睛，不可思议地看着我。他们的表现我早就猜到了，但心里还有点美滋滋的。

语文课，老师让我去讲台上听写诗词。我心里非常得意，乐呵呵地就上了讲台。老师看见我的衣服后，忍不住笑了一下。全班同学见老师笑了，也都跟着笑了起来。

语文老师一向很严肃，但是今天他却说："大家别笑了，这又不是动物园的猴子，穿得奇怪了点，可脸还是没整嘛。"

语文老师的玩笑话让全班同学哄堂大笑起来，我的脸突然红了。难道我哪里做错了吗？

悄悄说给男孩听：

受影视和广告的影响，现在很多男孩子都热衷于追求个性和帅气，都想成为"帅哥"。这本是件无可厚非的事，但是，凡是都应有度，否则就会过犹不及。

由于青春萌动，青春期的男孩子具有爱美之心是很正常的，所以，一些男孩子就会模仿影星、歌星们做一些"酷"的动作，说一些流行语，最常见的是服饰紧随明星潮流。看一部电视剧或一个广告，觉得演员们穿上这样的衣服太帅气了，自己也就跟着模仿，于是，校园里奇装异服就多了起来。

在以前，穿奇装异服是不允许进入学校的，但是，现在社会提倡个性，稍微穿得潮流一些是被认可的，还能表现出一个人的审美趣味。很多男孩子穿着各种奇装异服——裤子上挖个洞、色彩怪异，有的甚至背个鬼头在后背上，等等。

奇装异服的屡见不鲜，夺去了人们欣赏纯真的机会。在初、高中阶段，一群青春期的男孩子，是朝气、年轻、生命力的象征，他们的笑容应该是透明的春天的颜色，是欣欣向荣的感觉，而这些奇装异服的泛滥，让青春期的男孩子会过早地失去青春的纯真，特别是那些在膝盖上挖洞的裤子，天凉的话很容易诱发关节炎等疾病。

在青春的岁月里，根本无须修饰，年轻就是一种别致的美。所以，青春期的男孩子，请珍惜自己最纯真的美，树立正确的审美观，别被外界牵着鼻子走，要有健康的审美趣味。其实，奇装异服不是帅，作为中学生，最大的帅气来自对知识的追求、对美好品质的追求。

吸烟不酷吗？

楠楠最近神神秘秘的，而且身上总有一股浓浓的烟味。每次我问他“是不是吸烟了”，他都笑而不答，故意把话题给岔开。看他不想说，我也没再追问。

这天刚上课，教务主任就气呼呼地来到了我们班，他非常生气地说，在学校是禁止学生吸烟的，刚才他看见有个男生在厕所里边吸烟，而那个男生就在我们班。他说这是他第一次看到，就不点名了，下次如果再被他发现有人在学校吸烟，绝对会严肃处理的。

他说完就气呼呼地走了，留下我们班的同学纷纷猜测这个人到底是谁。我也很好奇，正想与楠楠讨论讨论主任说的是谁，一转身却看到他非常紧张的样子，我顿时明白了。

后来只有我们两人的时候，我问楠楠：“你为什么要吸烟呢？”

楠楠说他吸烟就是觉得吸烟很酷。可是我对这个说法并不认同。吸烟真的很酷吗？

悄悄说给男孩听：

吸烟是一种不良嗜好，它对人体的健康危害极大，对他人（被动吸烟者）和环境都有损害。烟草中含有毒物质达二十多种，烟雾中有害化合物多达三百种。吸烟所造成的死亡率大大超过酗酒和车祸，它对冠心病、睡眠、性功能、心理等都有直接或间接的影响，难怪有人把吸烟比成“慢性自杀”。

目前，青春期男孩抽烟的比例上升较快。有的人以为吸烟的人才有派头；有的人出于好奇，抽着玩的，竟成为“老烟民”；有的人想戒烟，但总是以写作或要研究问题为借口，烟不离口；甚至有的人睡在床上也要抽支烟，以致引火烧身，悔之莫及。目前我们并没有把抽烟作为一种恶习来鞭挞，但是青少年还是不要染上吸烟的习惯，尤其是在公共场所更要对自己与他人的健康负责。

吸烟“上瘾”只是一种顽固的习惯，它不同于吸毒成瘾。在戒烟过程中也没有很大的痛苦和病理反应，因此较易戒除。但严重嗜烟者戒烟亦有较大难度，戒除过程中可能会有消极反应。下列建议，有助于已经开始吸烟的男孩戒掉吸烟的习惯：

首先，要增强戒烟意识。在戒烟的过程中，人总是感觉不太舒服，要有这种意识，即戒烟几天后味觉和嗅觉就会好起来。

其次，可以寻找替代办法。戒烟后的主要任务之一是在受到引诱的情况下找到不吸烟的替代办法，如做一些技巧游戏使两只手不再空闲，通过刷牙使口腔里产生一种不想吸烟的感觉。

再次，学会转移注意力。尤其是在戒烟初期，多花点钱从事一些会给个人带来乐趣的活动，以便转移对烟的注意力，晚上不要像通常那样在电视机前度过，可以听音乐，出去运动、散步。尽量少参加聚会，刚开始戒烟时要避免受到吸烟者的引诱。如果有朋友邀请你参加聚会，而参加聚会的有人吸烟，那么至少在戒烟初期应婉言拒绝参加此类聚会，直到自己觉得没有烟瘾为止。

复次，可以选择游泳、踢球和洗蒸汽浴。经常运动会提高自己的积极情绪，冲淡烟瘾，体育运动会使紧张不安的神经镇静下来，并且会消耗热量。

最后，要经受住复吸的考验。戒烟后又吸烟不等于戒烟失败，但要仔细分析复吸的原因，避免以后再犯烟瘾。

我能不能喝酒？

不知道从什么时候开始，我周围的男生们开始喝酒了。大家聚会的时候，经常有人说大家要喝点儿酒才有热烈的气氛。

在和爸爸妈妈一起参加朋友聚会的时候，我曾经亲眼看到有人嗜酒如命，一会儿就喝得酩酊大醉、丑态百出。对他们的行为我实在难以理解。

关于这个问题，我和爸爸曾经探讨过。爸爸说，无论什么时候，酗酒都是不对的。对于青少年来说，还是不要喝酒，等到身体发育成熟了再说。

悄悄说给男孩听：

古今中外，很多人爱喝酒。无酒不欢，酒虽然是交友叙怀的好东西，可一旦嗜酒成癖，成为陋习，则会误事的。

如今有许多青春期男孩认为，饮酒是交友的好办法，因此热衷于聚会狂饮，或结交那些酒肉朋友，嗜酒成癖，最后导致是非不分、良莠不辨，甚至惹出祸端。因酒后的一时冲动而犯罪的案例时常见诸报端。

青少年正值发育的黄金时段，酗酒的危害不可小视：

（1）酗酒伤肝、伤脑、伤心脏。肝脏是人体最重要的解毒器官，也是合成胆汁、储存肝糖原的脏器，过量饮酒容易引起脂肪肝，必然导致消化吸收功能障碍和免疫功能下降，使机体对各种疾病的抵抗能力降低；酗酒可损伤大脑，使记忆力下降，使智商和判断力明显减退；经常酗酒可导致血管痉挛、呼吸肌麻痹，长期酗酒则容易导致心肌脂肪化，损伤心脏功能，诱发高血压、冠心病等。

（2）经常酗酒会损伤生殖功能。医学研究证实：大量的酒精对精子和胎儿都有致命的“打击”和损害，“酒鬼”的后代出现弱智子女和先天畸形儿的悲剧就是明证。中国历史上著名文学家陶渊明曾以其《桃花源记》这一名作备受世人称颂，但由于其一生嗜酒，后代虽多但多有生理缺陷。

这里介绍一些戒酒的方法：

（1）可以选择认知疗法。通过影视、广播、图片、实物、讨论等多种方式，让自己端正对酒的态度，正确认识酗酒的危害，坚决纠正饮酒的成瘾行为。

（2）可以借助于药物戒除酗酒习惯。由于饮酒可以成为一种成瘾行为，需要相当大的努力才能把这种习惯改正。有时候借助于药物的帮助也是很有必要的，这样能够提高戒酒成功率。对于青春期的男孩来说，采用这种方法必须事先征得医生和家长的同意。

（3）厌恶疗法。这是一种行为矫正方法，其目的是使饮酒者在饮酒时不但得不到愉快的感觉，相反会产生令人痛苦的体验，形成硬性条件反射。想想醉酒后的痛苦感觉和可能引起的不良后果，会对酗酒者戒酒起到一定的作用。

（4）亲友治疗法。其不失为一种好的方法。让家人、朋友帮助自己树立起戒酒的决心和信心。酒在日常生活中随处可见，也已经成为成年人交际的重要工具，这便在很大程度上形成了对青少年的不良影响。对步入青春期的男孩来说，一定要从根本上认识到，酗酒并不是成熟的表现，也不是判断自己是否新潮的标准，酗酒对身体有百害而无一利。只有这样，才能正确够选择健康的生活方式。

第四章

心动与恋爱

爱是什么？

虽然我已经长大了，可是，对于“爱”这个神圣的命题，我还是不知道应该怎样来理解。

“爱”是什么呢？如果我能揭开这个谜，能真正理解它，也许，我就不会去早早地谈恋爱了，而这也是父母非常担心的事情。

那么问题来了，“爱”是什么呢？

悄悄说给男孩听：

心理学家认为，爱情应该从情绪、动机和认知三种因素来探讨，真正的爱情不只是一种比喜欢更浓烈的感情，它需要包含三种因素，才是真正的爱情。一是在情绪上有亲密的感受；二是在动机方面要有激情，包含生理需求及冲动；三是在认知上要有承诺。情绪的亲密感受会使个体喜欢接近对方、想与对方联系、彼此相互感觉到温暖，而不是单方面具有这种感觉，否则只是单恋或暗恋。在动机方面的热情，则表现在异性间的吸引力上，因为这种生理冲动与需求使人有激情的感觉，很喜欢接近对方，如碰触、抚摩对方等。不过恋爱双方需要自尊自重、自我控制，有些人往往因为这种冲动而不能自制，造成进一步的性关系，而无法发展为进一步的心灵分享，也就容易造成日后的分手。

除了亲密与激情外，还要在认知上理性地做出承诺，这种承诺是自己在理性选择下所做的决定，愿意为维持双方关系而做的决定。有人提出爱就是付出而非占有，意思指双方要相互尊重对方的决定和意愿，不能勉强。有些人往往自己认为为对方付出这么多，对方相应地也要对自己如何如何，否则就如何如何，这就是一种强求手段，而这就误解了感情的真正含义。

因此，从爱情的组成因素来看，亲密、激情和承诺都没有就是无爱；只有亲密那只是喜欢；只有激情，称为迷恋；只有承诺，就称为空爱。缺乏承诺的爱情是浪漫的爱。缺乏亲密的爱情是愚蠢的爱。缺乏激情的爱是友谊式的爱。只有亲密、激情与承诺都具备才是完全的爱情。

作为青春期的男孩来说，要学会分辨对一个人的感情是喜欢还是爱。不要把青春期自然萌发的对异性的喜欢或好感与爱混为一谈。这是两种绝对不同的感觉，是很不同的心理状态：喜欢就像一条小溪，清澈见底；爱则是一片汪洋，浩瀚无边。需要当事者用心去聆听，才能将两者分辨出来。如果不经过理性的思考，只是跟着感觉走，就会使两者混为一谈，导致判断失误，或者自作多情，甚至自寻烦恼，耽误青春和学业。

也许现在我们还不成熟，考虑问题还不全面，随着日后知识的增长、视野的开阔、心智的成熟，很容易“见异思迁”。其实并不是你“变心”了，而是本来并没有去爱。爱一个人是要求感情专一的，而喜欢则不是，你可以在不同时间喜欢不同的人，甚至可以在同一时间喜欢不同的人。

什么时候恋爱被归为早恋？

我和晴晴住在一个小区，平时上学、放学我们经常在一起，时间长了，我们的关系就越来越好了。

晴晴最近感冒发烧，这周一直在家里休息，她有点儿担心功课跟不上进度。于是，我自告奋勇来帮助她补习功课，接触时间长了，我们俩之间好像渐渐有了点儿好感。

这会不会是爸爸妈妈经常提起的“早恋”呢？

悄悄说给男孩听：

在男女交往中要注意区分什么是友情，什么是爱情。要划清两者的界限，而不能模糊不清，以免造成误会。只有双方都明确彼此之间是友情而不是爱情，在日常交往中才不会造成误会，才会给彼此留有必要的空间。

什么时候算是早恋呢？——当男孩和自己喜欢的女孩在一起不用再偷偷摸摸的时候，不用再害怕看见熟人的时候，能大大方方地把对方介绍给大家的时候，当这段感情被爸爸妈妈祝福的那个时候，这种恋情就不会是早恋了。

在青春期男孩的感情中，恋爱是浓墨重彩的部分，而且会深深地烙在心里，成为一辈子的记忆。这种恋爱分为很多形式，早恋可能是真正能称为恋爱的部分，其余的还有单恋、暗恋等。

就单恋来说，就是典型的一厢情愿。看见漂亮的女孩，青春期的男孩子总是忍不住怦然心动，然后在性意识的萌动中，在好奇心的促使下，将女孩子的身影深深地藏进心里，为她的一颦一笑而神魂颠倒。可对方或许连他是谁都不知道，一句话都没有说过。所以，严格来说，单恋不能算恋爱，更不能算爱情，充其量算是性冲动罢了。

英国心理学家、单恋问题专家曼彻斯特教授曾指出：单恋比恋爱更为常见，最容易发生在14～18岁的青少年群体中。

单恋是一场感情误会，是青少年爱情错觉的产物。所谓的爱情错觉，是指因为对方言谈举止的迷惑或自身的各种主观体验的影响而错误地主动涉足爱河，或者因自以为某位异性对自己有意而产生的爱意绵绵的主观感受。

对青春期男孩来说，心智的不成熟和性意识的萌动是导致单恋的主要因素。而且，性格内向、敏感、富于幻想、自卑感强的男孩子更容易发生单恋。很多时候，是自己被对方的某一点所打动，比如笑容、性格、外表、行为举止等，而喜欢上了对方，自然希望得到对方的回应。在这种具有弥散作用的心理支配下，就会把对方的亲切和蔼、热情大方当作一种回应，并对此坚信不疑，从而陷入单恋的深渊不能自拔。

这样的所谓恋爱是痛苦的，他们无法向对方深情地表达自己的爱意和关心，更无法得到来自对方的回应和爱恋，单方的付出在得不到回应的时候，就会导致感情压抑，充满失望、忧郁和苦闷的情绪，这对身心的发展是极为不利的。因此，青春期男孩必须对这样的情况从容应对，努力做到以下几点：

（1）分清友情和爱情。冷静地观察和分析对方对自己的友好是友谊还是爱情，别自作多情。

（2）别跟着感觉走。心理学家认为：感觉往往是不确切的，产生在感觉基础上的爱情，只是一种感觉感情，与真正的理性爱情不可混为一谈。

（3）勇敢地面对现实。拿出自己的勇气，克服羞怯心理和自我安慰心理的折磨，勇敢地面对现实，抛弃幻想，用理智主宰感情，将精力放在学习上，以取得优异的成绩来获取心理平衡。

爸妈为什么总是怀疑我早恋？

每次和爸爸妈妈聊天，他们都会有意无意地说起谁谁早恋了，发生了什么不好的事情；或者说你看看谁，都大学毕业了也没谈恋爱呢，看人家顺利考上了硕士博士的。

每次爸爸妈妈这么说，我都挺难过的。

他们为什么不信任我呢？为什么总觉得我会早恋呢？

悄悄说给男孩听：

青春期的男孩女孩，几乎都会面临“早恋”的问题。这个“早恋”，尤其是父母、老师眼中的“早恋”，常常引起各种误会和曲解，也给男孩们带来了不少困扰。像故事中所说的那样，青春期的孩子们常常会发问：男女之间就不能存在亲密的友谊吗？

当然，如果同样的情况，发生在其他年龄段，也就不会存在这样那样的误解了。但是青春期的孩子们首先也应该理解父母、老师的心情。毕竟青春期是一个特殊的时期，男孩女孩们在激素的作用下处于情感朦胧的时期，长辈的担心是不可避免的。况且他们大多因担忧孩子的认知不够，担心早恋影响学习而进行阻挠，无论如何，初衷都是为孩子好。但问题在于如何把握一个“度”的问题。当这种长辈的担忧和疑虑变成一种过分敏感的怀疑时，就不可避免地会出现一些凭空出现的“早恋”，正常的男孩、女孩友情会被无情地阻止且永恒地产生隔阂。这时青春期的男孩们就应该懂得，在理解老师、家长的基础上，与他们进行沟通也是非常必要的。当长辈们相信男孩能真正成熟地处理这个问题的时候，这样的事情也就不容易发生了。

默默地喜欢她有错吗?

楠楠喜欢上了邻班的一个女生，在我们看来都有点儿走火入魔的样子了。每次课间我们出去活动，楠楠都会伸长脖子往那个女生班级的方向看，课间操的时候楠楠也一副魂不守舍的样子。放学的时候我们叫他一起走，他也磨蹭着不走，时刻关注着女孩的动向。可是这一切，那个女孩并不知情。

看着他走火入魔的样子，大家都为他担心起来。

悄悄说给男孩听：

喜欢是尊重对方，认为对方有优点，值得自己去尊重，且有好评，也认为对方的态度与自己相似。这就是喜欢的情感。而爱情则包含亲密的感情，关怀对方，并有情绪上的依赖。由此可见，许多人的爱情感觉，其实只是有浓烈的喜欢而已。不只是异性同学，甚至是学校教师、明星偶像，都是爱慕的对象，这只是个人产生的好感，认为对方某些部分与自己相似而喜欢对方而已。但有些人却将这种喜欢当作爱情，认为对方与自己的关系和别人不同，因此有时候会产生认知上的偏差，误以为我对你这么好，你怎么可以不理我，怎么可以和别人嬉笑打闹，因此不是认为自己已坠入爱河，就是自己在单恋，或者失恋。一见钟情也就是这种将对方的某些特质与自己梦中情人特质吻合配对的喜欢而已，只不过误以为是爱情。这是时下许多青少年的苦恼来源，因为这种感情欠缺相互亲密的成分。

暗恋和单恋很像，都是单方面地喜欢某一个人，而对方不喜欢自己。不同的是，暗恋是偷偷进行的，对方肯定不知道有个人喜欢自己；单恋则可能是偷偷进行的，也可能是明面上的，也就是说，被恋着的对方有可能是知道的，也有可能是不知道的。

事实上，关于恋爱的事情在很多年龄段都会发生，但是在青春期男孩身上发生的尤其多，尤其是单恋、暗恋这种情况。

最主要的原因还是他们有性的冲动了，对异性产生了好奇，但是他们的心智并不成熟，不懂得如何才能合理、有效地处理这种感情，所以很容易导致心理畸形和“变态”。

暗恋是很私人的一种自我内心体验，自己是唯一的主角，没有索求，只是默默付出。但是，如果不懂得把握自己的心态，就可能因为付出得不到回应，或者越陷越深而给自己带来困扰。

暗恋多发生在情窦初开的青年人中，或许因为现实中的种种压力或阻力，不得不把感情埋藏于心底。比如，中学生面临学业及家长和学校的压力，暗恋的情况较多。另外，暗恋也与自身的爱情观有关。

暗恋有一些具体的表现，可以据此判断自己是不是陷入暗恋的泥淖。

见了对方不敢正视，心跳是让人窒息般的频率；极度想告诉对方自己的想法却缺乏勇气，因此导致抑郁；看到对方自己就会想要马上逃跑；目光经常停留在对方身上（无察觉的情况下）；非常想见到对方；看到自己喜欢的人与异性交往会吃醋；有时候，会变得极其不自然，看到她就不由自主地失控，不同人有不同的表现，如有些人会不停地和她“打架”，以此让她注意到自己，等等。

暗恋是痛苦的，男孩们要么就试着鼓起勇气去表白，要么就痛快地解决这个问题。

首先，要厘清暗恋的感觉不过是对青春期感情的自我内心体验，并不是真正的感情，折磨自己感情的并不是暗恋的对象，而是自己对爱情的憧憬。

其次，要把这种美好的感觉放在心底，让它酝酿，等到成熟的时候就会变得更加香醇。

再次，用学习来转移注意力。

最后，减少和暗恋对象的接触。

爱一个人，是要负责任的，问一问自己，已经做好准备了吗?

能不能和女孩交朋友？

我有一个好朋友，我们俩从小在一起长大，我们同上一所幼儿园，同上小学。和其他初中同学比起来，我们俩的关系就更亲近一些。

初中我们俩虽然在一个学校但是并没有分在一个班，有时候我们在课间遇到了都会嘻嘻哈哈地聊会儿天。可是这些被我们班的那些男生看到，他们就总起哄，弄得我都有些不好意思了。

难道我和女孩就不能一起玩儿吗？我们就不能有真正的友谊吗？

悄悄说给男孩听：

当然，青少年在与异性交往时，特别重要的一点是要分清友谊与爱情的界限。友谊和爱情既有联系又有区别。人们之间的爱情关系和友谊关系都是以彼此相互欣赏为基础的，友谊和爱情两者有严格的区别：

首先，内涵不同。友谊是同学或朋友间的一种平等的、诚挚的、亲密的、互相依赖的关系，而爱情则是一对男女之间的感情，是以成为生活伴侣为目的的。

其次，对象不同。友谊是广泛的交往，而爱情则是在一对男女之间发生的。友谊可以通四海，朋友可以遍天下，人们可以和各种对象发展友谊。而爱情却是男女之间的隐私之情，只能真挚专一，不可三心二意，如果有第三者加入，便会产生忌妒心理和排除异己的行为。

最后，要求不同。在友谊的关系中，主要承担道德义务。而爱情关系在双方缔结婚姻后，不仅承担道德义务，而且要承担法律责任。一定要注意不要模糊两者的界限，否则不但会失去友谊，还会失去爱情。

到了一定的年龄，每个人都会产生与异性接近的欲望，这是人的一种情感需求，并不是病态，也并不可怕。

心理学家认为，异性交往会有以下几点互补性：

（1）个性互补。单一的同性交往，远不如多向的异性交往更能丰富人的个性。

心理学研究表明，社会中的个人交往范围越广泛，和周围生活的联系越多样，他的各方面社会关系就越深入，精神世界就越丰富，个性发展就越全面。尽管同性间的个性也存在着差异，但如果只和同性交往，人的个性发展往往会很狭隘，因为这种差异远不如异性间的个性差异明显和有意义。

（2）心理互励。心理学家发现，大多数人，尤其是青少年，都有心理上的“异性效应”，往往表现为有异性参加的活动，较之只有同性参加的活动，参加者一般会感到更愉快，配合会更为出色。这是因为当有异性参加活动时，异性间心理接近的需要得到了满足，从而使人获得不同程度的愉悦感，从而激发出潜在的积极性和巨大的创造性。

（3）情感互慰。人际的情感是极为丰富的，除了爱情之外，还有亲情、友情、同情、敬爱、恩情等。男女之间可以有不带爱情色彩的情感交流，它可以使人感受到温暖，达到心理上的平衡。在“异性效应”的作用下，这种情感的交流更为密切，能达到有效的情感互慰。

（4）智力互偿。研究表明，虽然人类智力的高低总体上没有性别差异，但男女之间的智力特质却有所区别。以思维能力为例，男性比较擅长离奇、大胆的抽象逻辑思维，善于抽象和概括，更喜欢用综合的方式对待现实；女性则擅长于具体的形象思维，比较感性，更适合处理以实践应用和形象思维为支撑的事情。通过与异性交往，双方均可从对方那里取长补短，促进自己的智力水平和学习、工作效率。

但是，青少年毕竟处于一个较为特殊的人生阶段，一个人的价值观、世界观基本上是在这一阶段成熟起来的。在此阶段，人的身心发育并不完善，情感认识还不够理性，情绪掌控还不够稳定，很容易因为一时的冲动而酿下苦果。那么，刚刚步入人生花季的男孩应该怎么做呢？

与异性交往，很重要的一点是互相尊重和理解。男女之间在气质、性格、身体、爱好等方面往往存在较大差异，只有彼此互相尊重和理解，异性友谊才能维持和发展。同时，无论男女，在交往过程中都不要过于随便。真正的异性朋友，自然可以堂堂正正地来往和接触。但毕竟存在性别差异，一举一动都要大方得体，不能过于随便，否则可能会伤害对方和身边的其他人，有损友谊的巩固。

在交往的过程中，要注意交往场所的选择。异性朋友单独相处时，要注意选择合适的场所，尽量不要在偏僻、昏暗处长谈。如果在房间里单独谈话，不要紧闭门窗，以免引起不必要的误会。

和女孩交往特别不自然怎么办?

嘉嘉哪里都好，就是看到女生就不敢说话了。每次和女生交往，就好像女生是大老虎似的，他都会感觉特别窘迫。可是和我们在一起玩儿，他从来都不这样。后来，女生们有事情也就不找他了，这样一来他就更害怕与女生交往了。

遇到这种情况该怎么办呢?

悄悄说给男孩听:

青春期的男孩们容易对异性产生好奇心，常常刻意接近女孩。但是，有的男孩由于害羞、紧张，会对异性交往产生恐惧心理以致引起误会。像故事中的嘉嘉，见到女孩就会特别不自在，而和男孩们交往时则落落大方，导致女生们不愿与其交往。其实嘉嘉只是克服不了自己内心的障碍而已。当误会发生的时候，他也鼓不起勇气来说明真实的情况。

这样的案例其实很常见，几乎每个班里都有几个羞赧不敢与女孩说话的男孩，一有女孩靠近他们就会脸红。

这种青春期“异性恐惧症”的产生，可能是因为男孩子与同龄的女孩接触太少，容易让其不知所措；也可能是因为父母的传统教育，让他们觉得男孩女孩的关系很神秘复杂，冲不开内心的枷锁；更有些是怕被嘲笑、被无视，因而当他们与女孩相处时，即使不是出于恶意，也总是与她们刻意保持距离。

对于这种状况，其实男孩们只要自然对待就可以了。刚开始可能羞于面对，无法自我克服，但是随着年龄的增长，与异性的接触则是难免的，他们慢慢便会更加坦然地面对。只要不刻意放大“异性恐惧症”的症状，就必定能够在成长中逐步克服它。

被拒绝的爱一样美丽

希希最近心情极差，每天萎靡不振的样子，看起来就像是经受了重大打击的小老头，一点儿精神都没有。最近学校也没有举行什么大的活动，也没有考试，按说他没有遭受什么挫折啊！

一天放学的时候我们俩凑到了一起："怎么了？最近好像总闷闷不乐。"

希希听到我的问话并没有回答。

"到底怎么了？你要把我当好朋友就对我讲讲，也许我能帮忙呢？"

希希虽然很不想说，可能他也想找个人聊聊，所以他告诉了我他的事情。

希希不好意思地说："我也不知道从什么时候开始慢慢关注咱们班的徐莹了，她学习成绩优秀，人也很善良。"说到这里，希希的眼里满是光芒。那一刻，我都差点被他电到了。

希希待了一会儿，接着说：“我有点儿喜欢她了，她要是能当我女朋友该多好。于是有一天，我找了个机会向她表白了一番。但是没想到，她居然对我说：‘我们还小，都不懂爱情，还是以后再说吧！’”

“现在，你们怎么样了？”

“她倒是没事，见了面像没事人儿似的，还照样和我打招呼。但是我觉得特难为情，都不好意思再和她说话了。”

“她都没事，你干吗跟自己过不去呀？”我实在不想看着好朋友无精打采的样子，看着心里就不舒服。

“是，她是没事，但是我都向她表白了，而且被拒绝了。你说我见了她，心里能好过吗？你说，我能不难过吗？”

说到这儿，我也觉得希希难过似乎有点儿道理，可是我也不能看着他这么颓废下去，我该怎样劝劝他呢？

悄悄说给男孩听：

爱情是美好的，如带刺的玫瑰，为了接近它，我们伤痕累累也在所不惜。可是你确信自己真的足够“强壮”，足以抵挡爱情给你带来的一切吗？特别是你的爱被对方拒绝的时候，你是否会从此颓废不振呢？

不要如此，因为被拒绝的爱也一样美丽。你被拒绝，说明你已经勇敢地向对方表达了你的爱，你已经在按照自己内心的渴望去生活了，你已经尝试了。为什么还要责备一个勇敢的自己呢？

不可能所有的人都喜欢你。在这个世界上，如果真的碰到一个你喜欢的人，而她也喜欢你，那当然是万幸。但是当别人不喜欢你的时候，你不能因此对自己失去信心。你需要的是时间，世上真爱你的那个人一定会出现，只要在人生的道路上继续前行，终有一天会与其见面。

当然，无论如何，当爱被拒绝的时候，那种失落感是无法避免的。我们需要一个畅通的渠道来发泄自己的不快情绪，什么样的方式都可以，比如和最好的朋友聊聊。如果你的父母足够开明，也可以向他们诉说。运动也是一种不错的发泄方式，可以去跑跑步、踢踢球。总之，发泄出来，比自己一个人郁闷要好很多。

有些男孩被拒绝了则会否定自己，觉得自己不够优秀，所以才会遭到拒绝。遇到感情问题，内心的强大是最重要的。其实不仅是在感情上，在生活其他的方面，被拒绝是我们必然会经历的。如果我们每被拒绝一次，就否定自己一次，那我们很难找到真正成熟的自己。我们被拒绝，固然在某种程度上说明我们不够优秀，可这是一个用来提高自己的绝佳机会。你认识到自己的不足，然后改正，就能变得更加优秀。

就以被女孩拒绝这件事来说，男孩被拒绝后，也许需要更加注意自己的言谈举止，需要更加努力让自己有某方面的特长。当我们真正从一个很积极的角度去思考问题的时候，就会在一次次被拒绝中变得更加“强大”。只要有自信，对生活、学习不懈怠，愿意同更多的朋友交往，自会有人欣赏你。

对于拒绝你的那个人，没必要去回避，更不要因此而产生怨恨。你可以尝试放开自己的心，让自己接触更多的人，这样她在你心中的分量会变得越来越小，也许你会发现自己有更好的选择。你还可以尝试着与对方成为朋友，虽然无法收获爱情之果，却可以赏到友谊之花。

为什么他比我受女生欢迎？

壮壮虽然胖胖的，但是他的女生缘特别好。那些女生有什么事情需要帮忙都会找他。虽然我也没什么别的想法，但是如果能有壮壮那么好的人缘就好了。

对于这个问题，我向壮壮请教了好几次，可是壮壮每次都嘻嘻哈哈，不正经回答我。我该怎样才能像壮壮那样和女生们做朋友，并受她们的欢迎呢？

悄悄说给男孩听：

其实青春期的每个人都有自己的个性，只是壮壮的这种个性是善良而又丰富的，以至于受到大家的欢迎。壮壮的经历告诉我们，外貌固然重要，但也不是影响人际关系的决定性因素。也许和一个认识不久的人相处会通过外貌做出判断，可是一旦时间久了，同学之间就不会通过外貌衡量人了，性格、能力等也是人际关系的重要影响因素。壮壮就是靠自己的性格取胜。所以每个人要想成为受异性欢迎的角色，最重要的是，在与人交往的时候，学会关注别人的感受，善于为别人着想。同时，要把自己锻造成有内涵的、自信的人，我们可以变得开朗一些，在学习生活中更加积极主动地与同学发生联系。

如果一个人每天只是闷着头读书，则会导致与他人缺乏沟通。友谊是交流出来的，或是言语上的互相鼓励，或是行动上的互相帮助，人与人之间的交往是必不可少的。当然最基本的一些事情还是需要注意的，比如说，男孩要尽量会一项集体性的体育运动，要学会幽默，有大胆的想法却能够很细心地做事情。青春期的男孩们都应注意这个问题，如果想在与异性交往中成为受欢迎的人，就一定要学会用真诚和信任来提升自己的魅力，不仅对异性，而且对同性朋友也要多一些理解和宽容。如果这样做了，你就能发现，自己身边的朋友会越来越多。

炫耀异性的爱慕，会伤害他人

公交车上，我和壮壮聊着马上要到来的期末考试。不知道从哪一站上来几个和我们年纪相仿的中学生，他们几个讨论得非常热烈，声音也比较大，我和壮壮无意中就听到了他们的对话。

有个男生说：“你们知道吗？咱们班的芮芮喜欢我呢！”

另外，几个男孩听到这话立刻来了精神，大家都追问这个男生是怎么知道芮芮喜欢他的。

这个男生看到大家这么关心这个问题，就说话嗓音更大了，讲了一些那个女生对他表白的事情，然后还说，那个女生非常关心他，等等。

可是他说着说着，突然就不说话了。我和壮壮都很奇怪：究竟发生了什么事情？回头一看，发现一个非常文静的女生站在他们面前，紧咬着嘴唇，眼泪都要掉下来了。

看到女生委屈的样子，我们明白了她就是男生刚才故事里的女主角，但是看到女生伤心的样子，我们觉得那个男生太过分了。

悄悄说给男孩听：

虚荣心是无法回避的人性的阴暗面，每个人或多或少都有虚荣心，我们要时刻保持警惕，不要让虚荣心轻易表现出来。

拥有异性的爱慕，是令人开心的事，因为这代表你有着某种吸引力，你会因为自己拥有这种魅力变得更加自信。根据一般人的心理，遇到让自己觉得骄傲和兴奋的事情时便喜欢与人分享，但是感情这种东西是不能分享的——对于爱慕你的人而言，这就是一种炫耀。

设身处地地为喜爱你的人想一想，我爱慕你，投入了纯真的情感，这种情感却被你当作炫耀的筹码，试问这对爱慕你的人而言，是不是一种莫大的伤害？炫耀异性的爱慕，是不自信或不成熟的标志。把异性的爱慕变成提升自己身份的一个筹码，而不是真心去对待这份感情，何尝不是一种残忍？

爱情，尤其别人对你的暗恋，应该放在心里，让它自然酝酿、生长，没必要炫耀。这种炫耀会伤害到对方，也有可能伤害到自己。

在爱情的问题上，人们往往比较敏感。本来在一段没有结果的感情面前，对方的感情就已经非常脆弱了，你还要去炫耀，让对方肝肠寸断，万一遇上情绪容易激动的人，做出袭击、报复等疯狂的事情，后果则无法想象。

所以，青春期的男孩子一定要注意，无论是在什么情况下都不能炫耀异性对你的爱慕。请把这份美好的感情深埋心底，这样你会保护一颗敏感而温柔的心。从某种程度上讲，也是保护了你自己。

如何结束一段感情？

我和晴晴后来的关系走得有点儿近，我们都觉得有点耽误学习了，我有点儿动摇了。在经过痛苦的斗争以后，我终于鼓足勇气给晴晴写了一封信，来给这段不该发生的感情画一个句号。

这封信我修改了很多遍，我不想伤害晴晴，也希望我们以后还能当好朋友。经过一晚上的修改，最后的成稿是这样的：

“晴晴：

我很高兴和你一起度过一段快乐难忘的时光，它将成为我一生中最美丽的经历，我会把它珍藏到永久。只是，我们现在还都是学生，老师寄予我们希望，父母也对我们抱有厚望，我不想辜负他们。和你在一起的日子很快乐，但是我却迷失了自己，我很想重新回到从前，专心学习，实现我最后的理想。晴晴，我只是想说，你是一个很好的女孩，我想和你分开并不是你的原因，只是我很难将自己的精力集中，所以请你不要误会。同时也希望你也能好好学习，努力向上，争取好的成绩吧。”

放下笔，我长长地舒了一口气。每个人的一生，都有自己要做的事，在每个阶段做最该做的事情才是最正确的。

我终于放下了一个大大的心理包袱，再看到晴晴的时候我也不那么紧张了，我们俩的关系又回到了正常的轨道。

悄悄说给男孩听：

青春期的男孩在面对异性时，面对此种青涩的情怀或是情窦初开的现象，更应该冷静地思考：我真的喜欢她吗？她是我的最爱吗？我了解对方吗？对方了解我吗？她有什么优缺点？我能容忍她的任何缺点吗？我能在学业与交异性朋友之间做到妥善安排吗？因为交异性朋友就牵涉“做决定”与“负责任”的问题，什么时候做决定较为恰当，什么时候做决定较为完美，什么时候交异性朋友较理想等，都是必须深入考虑的问题。在身心尚未发展成熟时就交异性朋友，不但对自己的成长没有帮助，还会影响并阻碍其他各方面的发展。

更为重要的是，此时的我们通常无法为自己所做的决定负责，必须由父母或他人来承担后果，一时的激情可能会以终身的幸福作为赌注。因此，喜欢一个人要等她长大，也要等自己长大，长大以后再说去爱。

很多男孩会常把一句话挂在嘴边：“只要我喜欢有什么不可

以，我是我自己，父母说左我就要说右！父母说黑我就要说白！父母说我错，我就要错！”在此种情怀与逻辑推理中，只要男女相爱，永结同心，海誓山盟，在一起有何不可？殊不知，年轻的心是飞扬的心，同时也是脆弱的心，容易受到伤害，而影响一生的发展。

当你做任何事、做任何决定时，除了考虑自己也要顾虑他人，我如此做对自己、对亲人、对他人有无影响？行为的后果如果损己利人或是对大家都有损害，就应该慎重考虑。而当此时，我们更要明了：我真的爱她吗？难道不是一时的冲动吗？我现在还小，以后会不会发生什么变化？

早晚有一天，你会长大，你会发展，你会走出现在小小的生活圈子，你会遇见更多的人，也许那个最适合你的人仍在远方，需要你长大以后才能与她相识、相恋。

男生要不要担当责任？

妈妈给我讲了一个故事，这个故事的男主人公的妈妈是她的同事。这个故事是这样的：一对高中生，陷入了一场“麻烦”。他们是早熟的孩子，高一的时候就开始谈恋爱，很快两人就偷尝禁果。但是事情并不像他们道听途说来的那么妙不可言，除了生涩的疼痛之外，两人再没有任何快乐可言。

年轻无知的他们也不懂得采取安全措施，两个人偷尝禁果两个月后，女孩忧心忡忡地告诉男孩自己怀孕了。这对于两个尚在读高中的恋人来说，无疑是晴天霹雳。他们一下子陷入了慌乱中，到底该怎么办?

两人达成一致，不能告诉父母这件事情，这件事情如果让父母知道了，后果不堪设想。但是肚子里的孩子还在一天天长大，女孩的情绪也越来越差，她只是对家人说自己是学习压力大才这样的。但是和男孩在一起的时候，她就会拼命问男孩，到底该怎么办，到底该怎么办？

女孩的抱怨，让男孩的心搅成一团，太后悔当初的冲动了，如今这个恶果他自己一个人怎么承担？

女孩后来就开始不断地提醒男孩，一定要对她负责任，所有的事情都应由男孩负责，都是男孩害了她。

来自事件本身的压力，来自女友的不断施压，男孩终于忍受不了这么大的心理压力了。他向父母摊牌。事到如今，父母并没有过多训斥他，直接找到了那个女孩，协商问题的解决方案。

最终，两家家长达成了协议。女孩父母带着女儿去了很远的城市做流产，而男孩却陷入了深深的抑郁之中。

他不能原谅自己不能负责，而他也无力承担全部的责任。一直处于巨大压力状态下的男孩只好靠着抗抑郁药物来维持自己的正常生活。

妈妈讲完故事说，男孩真的能够承担责任吗？在不能承担责任的年龄犯下这样的错误，怎么可以呢？

悄悄说给男孩听：

有一句话适合送给男孩和女孩：“在爱情里，如果两个人都能对自己负责，对他人负责的目标就可以间接达到了。”

爱情非常美好，但是不堪一击，因为人们总是喜欢把爱情建立在虚无缥缈的幻想世界里。当我们疯狂地爱上一个人的时候，需要冷静地观察对方是否也愿意为自己真心付出，如果对方不愿意，即使是因为感动而和你在一起，那也是不合适的。因为感动仅仅是一瞬间的事情，在漫长而平淡无奇的生活里面，感动会慢慢消失。其实，现实与想象中的爱情情节相差实在遥远。

于是“责任感”就变得非常重要。

爱情是神圣纯洁和永恒的，而责任是在一定条件下必须履行的义务，是不可推卸的。

当爱情与责任融为一体的时候，就赋予两者特定的含义。爱情就不仅是取悦对方，而是包容对方的一切缺点；责任就不仅是暂时的允诺，而是呵护对方一生的幸福。当爱情脱离责任的轨道时，它就是一列货车，伤人伤己；当责任飞离爱情的恒星时，它就是一颗流星，瞬间逝去。只有爱情和责任真正统一于男女之间的时候，爱情与责任才是完美和负责的。但在婚前婚后有所侧重，婚前谈的是感情，婚后承担的是责任。只有融贯双方的责任，才是真正的爱情。

正是出于一种责任心，两个人在交往过程中就更加需要互相尊重，共同承担重担。你可能会经常看到这样的例子，女孩以为自己“一给了之”，然后把所有的责任推给男孩，结果却是这男孩“一走了之”。或是男孩为了满足自己强烈的青春欲望，不顾女孩的感受，不顾可能造成的恶劣后果而偷吃禁果。这实际上是很不负责任的，因为当一些事情真正发生的时候，当事人是没有任何能力与经验去处理的。所以，这样做了，就会把自己和对方推入一种艰难的境地。在爱情里，无论面对怎样的一个问题，男孩女孩都更加需要从责任的角度去思考，互相体谅、互相关心和鼓励。

正如中国当代著名的作家阿来所说的，“自由的第一个意义就是承担自己的责任”。生活就是这样，它来不得半点儿随意，请不要以自由的名义来逃避责任。每个人在做事情的时候都要想到可能出现的后果。虽然没有人能够保证自己做的事情万无一失，但是人可以用自己的责任来弥补可能出现的失误。

所以，青春期的男孩、女孩如果从小培养责任意识，那么将会受益终身。不要被爱情冲昏了头脑，忘却了责任。

第五章

接吻和性

什么时候才能开始接吻？

我和妈妈一起去电影院看《灰姑娘》，电影很精彩，故事情节也很吸引人，故事的最后，灰姑娘和王子快乐地生活在一起，在婚礼上，他俩的亲吻让所有人欢呼。看完电影，我和妈妈一边吃饭一边聊起了刚才的电影。

“灰姑娘好幸福，终于等到了自己的白马王子。”

“是啊，得到了所有人的祝福。”

“嗯，妈妈，什么样的爱情得不到祝福呢？”

“在不该恋爱的时候恋爱，或者是和不应该相爱的人恋爱，就不会得到祝福。”

听到妈妈这么说，我明白妈妈说的是什么了，此时的我沉默了。

“昊昊，你想，现在两个中学生接吻，会得到大家的祝福吗？”

我想了想，学校里有早恋的人，但是他们都是偷偷摸摸的，生怕被别人看到，更别说得到大家的祝福了。想到这里，我拼命摇了摇头。

“昊昊，妈妈希望你能够管好自己。如果你想和一个人恋爱、接吻，就要问问自己，我要和她恋爱会不会得到大家的祝福呢？不能得到的、偷偷摸摸的恋爱还是不要谈了。”

妈妈的话也许是对的。但是，我又有了一个问题，初吻应该留给谁呢？是令自己怦然心动的人吗？

悄悄说给男孩听：

只有相爱的人才能接吻。初吻给谁？当然是爱人了。但是，如果有了特别心动的人呢？

男女之间的接吻，不言而喻令人身心愉悦，是表达爱情最直接、最动情的方式。因此，对于女孩子来说，接吻总是显得过早，因为此时还不懂爱情。

少年男女在交往中会产生友情，这种友情是美好而纯洁的，虽然其中夹杂着一种很深的情感依恋，甚至产生接吻的冲动，但这种意识与真正的爱情并不是一回事，此时还没有到收获爱情的季节。如果认识不到这一点，两个人有了不恰当的接吻，就会使双方关系发生根本改变，由朋友变为恋人，那么早恋就真的来了，当事人会因此投入大量精力去营造并不成熟的感情，就像是在沙中建立城堡，其结果可想而知。

初吻是非常美好的，也是人生中值得珍惜的情感表达方式，初吻应该献给自己真正所爱的人，也应该成为自己一生中美好的回忆，所以应把它珍藏，不要轻易献给谁。吻和爱情一样，应该是爱和责任的承诺，是以心相许的证明，而这些，少女时代则是根本无法做到的。

另外，接吻说到底，也是一种性行为。如果处理不好很容易导致感情失控而出现越轨行为。因此，每个少女都应慎重对待接吻。

当然，一般来说，男孩很难把持住自己，会主动向女方提出要求，甚至强行或者制造氛围来亲吻女孩，此时女孩应该把握好自己的主动权，明确地表达自己的意愿，不做让自己感觉不好的事，要做自己有把握的事。

如果轻易迁就男方，接受了接吻的请求，就有可能给对方造成一种“答应”的错觉，使自己处于尴尬之中。同时，把持住自己，也能使情感之火不至于过于激烈燃烧而导致自我失控，以免今后造成进退两难的境地。

其实，在现实生活中，人们之间会结为各种关系，如朋友关系、亲子关系、恋人关系、夫妻关系等。任何关系的人交往都是要遵循一定规则的，如果弄错了规则，就可能给自己带来难以承受的后果。接吻是恋人或夫妻间的行为，不是少女和少男之间的行为，因此，你最好不要盲目地献出自己的初吻。

什么是性爱？

随着我身体的渐渐发育，我渐渐明白了男女有别的真正含义。小时候的我可以无拘无束地和小女孩拉手做好朋友，但是现在，随着我越来越大，我发现自己和从小一起长大的女性朋友们，再也没有过手拉手的经历了。大家不经意间碰到了手，也都很不好意思地立马拿开。我们之间就像有了一道天然的屏障，把我们隔开了。

虽然如此，我却对女孩越来越想了解，特别想知道男孩和女孩之间到底怎样才是危险的呢？性到底是怎么一回事呢？妈妈经常告诉我说，男孩要控制好自己，不要去伤害女孩，也要保护好自己，不要被别人伤害。

妈妈表达的越隐晦，我就越好奇。性到底是怎么一回事呢？

悄悄说给男孩听：

这些问题一直困扰着我，我也不好意思向父母提，但是，他们好像知道我在想什么，妈妈悄悄地在我的笔记本里夹了一个纸条。妈妈写道：

昊昊，转眼间你就长大了。妈妈知道你一定有好多好多问题想问妈妈却不好意思开口。那么，咱们不如用这样的方式来交流。妈妈希望通过这样的交流，让你对一些人们意识中的神秘的不可说的东西也能有所了解，希望你了解得多了，能更好地保护自己。

昊昊，你可能会觉得很神秘，或者很不好意思，或者觉得很粗俗。那么，性真的是像大家想的那样吗？

词典中对“性”的解释是：人的本性和天性，是人与生俱来的素质，可以区别人的性别、性欲和性行为等。性有很多种意思，但大多数人一说起性，就会想起生殖器官、性行为。于是一提起性，很多女孩子就会觉得不好意思或者不干净，实际上性并不是那样的。性不只意味着性行为，“性”字由“心”和“生”两个字组成，所以性是指人自身，即心和身体。

任何事情在未知的时候，总是带着很多神秘感，这也是吸引人们去探知的原因。也正因为如此，人们会在探知的过程中由于缺乏认识和经验而犯错误，有些后果会很严重。与其这样，还不如主动揭开这层神秘的面纱，让人们主动去认识，从而避免无知的冲动。

处于青春期的男孩时常会被“躁动”的性生理与性心理困扰。

性意识的萌发，使你们忧心忡忡，同时又有一种莫名的冲动，你们很想了解一些关于性的问题，但是很多家长在面对你们的“性问题”时，都倾向于回避——“孩子以后自己就知道了。”“我们也是这样过来的嘛！”岂不知，家长们的回避是最不恰当的做法，对于求知欲强、充满好奇的你们来说，如果家长们总是躲躲闪闪不肯正面回答你们的问题，你们必然会想尽办法去满足自己。而当你们四处寻找答案时，有时候难免会看到超过那个年龄范围的内容，可是你们本身并不知道那是错的。可见，家长们不正面告诉孩子的后果远比想象中要严重得多。

昊昊，你要学会正确对待青春期出现的一些性生理、性心理现象，对性的冲动保持理智的态度，学会控制自己，调节自己，爱护自己，发展和完善自己，积极健康地度过青春期。

昊昊，有什么问题你不明白的，可以继续留纸条给妈妈，要记住，性不是不能说的，了解必要的性知识，对你来说是非常有帮助的。

父母有权干涉我的私生活吗？

我觉得爸爸妈妈无权干涉我的生活，于是爸爸给我讲了一个真实的故事。

两个十六岁的中学生，在偷尝禁果后，丝毫不懂相关知识的他们直到女孩的肚子一天天大了才害怕起来。可是又不知道是怎么回事，只好一面担心一面任其发展。女孩的肚子后来越来越大，男孩只好帮女孩用绷带之类的东西用力勒肚子，让女孩的体形看上去不那么夸张。直到有一天，女孩在课间上厕所时生下了一个男婴，手足无措的她和同样惊慌失措的他趁着没人注意将婴儿扔进了垃圾桶……男孩子和女孩子最后被以故意杀人罪判了刑，花一般的美好年华却要在高墙铁窗里度过了。

听完这个真实的故事，我沉默了。我知道，爸爸妈妈对我的限制是有道理的，也是对我的一种保护。

悄悄说给男孩听：

青春期是危险的，随着性的成熟，处于青春期的孩子急切地想要探寻性的奥秘，想要释放性的激情。可是，他们受到了太多的限制，也不像成年人那样可以结婚。所以，为了避人耳目，他们只好偷尝禁果，一旦冲破这道防线，就不会再有过多顾虑，还会多次反复发生。但知识的不足和保护措施的欠缺，往往可能导致他们只顾体验性的刺激和快乐，完全不顾由此可能带来的严重后果，包括对彼此的伤害。这也是近年来此类犯罪低龄化的原因之一。

事实上，性行为是一种具有后果的行为，本身带有一种责任和互相给予，但是处于青春期的孩子尚未成熟，还没有能力承担性行为可能带来的责任和义务。所以，过早的性行为可能会使处于青春期的孩子产生紧张、忧虑、忐忑不安等较大的情绪波动及沉重的精神负担；容易使其造成心理的障碍，产生压抑、性冷淡、性反应能力下降、阳痿、早泄等现象；过早的性行为还隐藏着感染性传播疾病包括艾滋病的危险。另外，过早的性体验还会影响成年后配偶的选择，给婚后的家庭生活带来阴影；也有的青春期孩子就此“破罐子破摔”，不善待自己，由此走上违法犯罪的道路，有的人甚至想自杀，以寻求解脱。

导致青春期孩子过早发生性行为的原因是多方面的，有学校、家庭教育的不及时，有社会意识和人们思想观念的开放，有网络、书刊不健康的内容的大肆泛滥，有同龄人之间的相互影响……这种种因素都在一定程度上加速了青少年偷尝禁果的步伐。因此，要想避免或者减少此类事件的发生，就应该有针对性地从以下几方面着手：

1. 要了解自己青春期的特点，掌握性的科学知识

与成年人如父母、老师讨论性的问题和自己的看法，从而提高自己的控制力。

2. 转移性注意

多培养兴趣，拓展自己的生活空间，让自己的兴趣扩散到很多事情上，这样就能有效地抑制自己的性冲动。

3. 避免与异性单独相处

不要为自己与一个异性营造一个比较封闭的环境，这样的环境可能使人不由自主地产生激情。

4. 避免性刺激

尽量避免看带有性刺激色彩的书刊、影视、录像、网页，尤其是不能单独与异性一起观看。

男孩的阴茎为什么会硬？

阴茎为什么会硬？当这个问题出现在我大脑中的时候，我就忍不住去想这个问题的答案。可是，我想来想去也找不到正确的答案。

这次我一定要找到这个问题的答案。

于是我打开计算机，查这个问题，网上出来一堆不健康的网页，爸爸看到我的网页，很诧异地看了我一眼。爸爸的眼神里满是疑惑。看来不和爸爸解释清楚，爸爸接下来会对我密切关注的，为了解除来自爸爸的警报，我把实话告诉了他。爸爸听完我的叙述，哈哈大笑起来，他的笑让我也不那么紧张了。然后，爸爸详细地解答了我的问题。

悄悄说给男孩听：

爸爸说，要解决这个问题就要了解阴茎的构造。阴茎是男性的交合器官，却具有排尿和射精的双重功能。阴茎可分为头、体、根三部分，阴茎后部为阴茎根部，中部为阴茎体，体的前端为阴茎头（俗称龟头）。阴茎头富含神经末梢，为男性主要性感区，平时被包皮所覆盖。包绕阴茎头的环形皱襞，称阴茎包皮。在头和体之间有环形的沟被称为冠状沟。在阴茎头下方阴茎体之间附有一条相连的小系带，称阴茎系带，该系带及阴茎体部皮肤对触摸等刺激十分敏感。

阴茎主要由两条阴茎海绵体和一条尿道海绵体构成，外面包被有筋膜和皮肤。阴茎海绵体并列于背侧，后端分开，称阴茎脚，附着于耻骨下支和坐骨支。尿道海绵体位于阴茎海绵体的腹侧，内有尿道通过，其前端膨大成阴茎头，后端膨大为尿道环，每条海绵体都有白膜包裹。海绵体内部由许多海绵体小梁和腔隙构成，腔隙实际上是和血管相通的窦隙。当性兴奋时，腔内则充满血液，使阴茎勃起坚硬，在海绵体根部均有肌肉附着，肌肉收缩时可协助排尿、阴茎勃起和射精。

安全套有效吗？

学校门口突然间出现了一台安全套售卖机。自从安装了那台机子，大家上学放学的时候总是有意地回避。大家都不好意思面对这个新东西。

爸爸来接我的时候发现了我们都有意无意地在回避这台机器，爸爸就对我讲了起来。

悄悄说给男孩听：

目前，有相当一部分青少年按捺不住内心的冲动，发生婚前性行为。诸多事实已证明婚前性行为不可取，而且少女做流产，会给身心带来有害影响，故应采取措施防范。一些研究结果表明，夫妻婚前有性行为者，婚后不和睦的发生率高。婚前性行为往往会导致性关系随便、道德观念淡薄、性生活紊乱以及性病的传播等。爱情之花是圣洁的，只有到了一定年龄，遇到能正确理解它、懂得珍惜它的人，才能栽培并以真诚之水浇灌，使之永远盛开。对于正值青春期的孩子们来说，在爱情生长的土壤还不具备的时候，最明智的办法是筑好防线，集中精力学习，树立正确的人生观，培养高尚的情操，学会自尊、自重、自爱、自制，使自己的行为符合社会道德规范，用健康的思想和法制观念来指导自己的行动。

任何性行为都是要承担后果的，而这些后果往往不是尚且稚嫩的中学生所能承担的。过早涉足禁区，留给自己的只能是无可挽回的伤害。如果不小心让自己身处危险当中，那么，就更要保护好自己。这时候，该使用安全套就必须使用安全套。它不仅能避免女性怀孕，而且能避免很多性病的传播。当然，这是迫不得已的时候必须采取的措施。

男孩应该了解安全套是做什么用的，控制自己不要有使用安全套的情况发生，只有珍爱自己的人，才值得别人爱护。

总是“性幻想”怎么办？

最近我总是会想入非非，如和某位漂亮的异性接吻、拥抱甚至发生性关系。特别是看到杂志上漂亮的女明星或是电影中漂亮的异性时，总兴奋不已，而且常常激起性冲动。我不敢告诉任何人，担心别人说我肮脏下流。现在我见了女生也不敢正视她们，常常有一种自责负罪的感觉。我不知道自己这是怎么了？该怎么办呢？

悄悄说给男孩听：

处于青春期的男孩的性意识萌发是很迅猛的，产生接触异性的渴望也很强烈。就像前面讲到的一样，处于青春期的男孩会遗精，这一方面是精满自溢，另一方面是对异性产生性渴望、性幻想，还可能辅以手淫的方式得到发泄。

对处于青春期的男孩而言，出现这种性幻想是正常的生理和心理现象，并不是肮脏和不道德的。性幻想只是一种性白日梦或性爱的白日梦，是把性幻觉作为性兴奋或性欲满足的主要手段，并成为习惯的一种性的变态行为。

处于青春期的少男少女，对异性爱慕渴望很强烈，但又不能与所爱慕的异性发生性行为以满足自己的性欲。这样就把曾经在电影、电视、杂志、书籍中看到过的情爱镜头和描写，经过重新组合，虚构出自己与爱慕的异性在一起的幻想。部分人可导致性兴奋，女孩性器官充血，男孩射精，有的还伴随手淫出现。

男孩、女孩自青春期开始即出现性幻想，18岁以后至结婚前这一时期内，约半数的人性幻想在心理上时常萦回不去。一般而言，想象力非常丰富的人“中奖”的概率很大。这种性幻想的产生是一种常态，也是性冲动活跃的一种无可避免的结果。结婚后性幻想便停止或大为减少。

从产生的原因来看，性幻想不能简单地以好或坏来区分。它导致的后果可以呈现积极的一面，也可以呈现消极的一面，关键在于自我的控制和把握。

蔼理士在《性心理学》中说：“白日梦是一种绝对个人的私有经验，非第二人所能窥视，梦的性质本为如此，而梦境又是由许多意象连缀而成，即使本人愿意公开出来，也极不容易用语言表达出来。”

因此，对于性幻想，青春期男孩不必过分压抑，但也不应过度沉迷。性幻想作为性心理成熟的一种方式，如果过分压抑，将会造成正常性心理受损，形成心理障碍；如果过分沉迷，则对心智发展不利，也能造成心理障碍。

从处于青春期的男孩自身的角度出发，首先，应以良好的心态来接受它，就像接受自慰一样。良好的接受是以必要的知识为前提的，切不可盲目和沉迷。

其次，要远离色情书籍和光盘，因为那些内容专门渲染男女的性活动，对处于青春期的男孩有很强的刺激作用，会造成很多不良的影响。

最后，养成科学、积极的生活习惯。平时在饮食上注意不要多吃刺激性食物；多穿宽松的衣服；早晨不要睡懒觉；防止手淫等。还可以采用转移注意力的方式，如果产生了性幻想，就可以马上停止，然后转移注意力，这样就能很好地遏制性幻想了。

男孩也会遭受性侵犯

最近电视上总是爆出新闻，说男孩也被性侵犯，而且随着报道的越来越多，爸爸也找时机跟我聊了起来。爸爸说，男孩也会遭遇性侵犯，不能因为是男孩就不提防、不注意保护自己了。

那么，我该如何做才能保护好自己呢？

悄悄说给男孩听：

性侵犯泛指一切与性相关且违反他人意愿，对他人实施而造成身心侵害的行为，包括强奸、诱奸、性骚扰在内的行为都可算是一种性侵犯，而暴露、窥淫等也可算是性侵犯的一种。不过一般情况下，“性侵犯”一词较常用来指强奸和猥亵。

过去，性侵犯对象似乎专指女性。随着社会的发展、女性社会地位的提升，当女性的性欲无法得到满足时，也会对男性进行性侵害。同时，一些对女性不感兴趣而喜欢同性的男性，也会对男性有猥亵行为。

许多研究表明，遭受性侵犯的青少年在相当长的时间里，会不同程度地表现出一系列心理症状。比如：恐惧、焦虑、抑郁、暴食或厌食、不喜欢自己的身体、对身体有异样感、低自尊、行为退缩、攻击性行为、注意力不集中、药物滥用、自杀或企图自杀。如果没有得到足够的帮助，成年后多会在人际关系方面遇到困难，难以与异性建立亲密的关系，有人还会多次受伤害。由此可见，性侵害对青少年身心健康有长期的影响。

对于性侵犯，我们一定要做好预防，最重要的是提高自我防范意识，学会自我保护。例如，不与异性在过于隐蔽的环境中单独相处，尽可能夜间不在外逗留时间过长或单独出行，不轻易接受异性的约会邀请，不与异性到成年人的娱乐场所玩乐。青春期男孩只有克制自己的好奇、侥幸心理，提高对行为后果的预知能力，减少冒险的行为，加强自我保护的防范心理，不给他人留下侵犯自己的机会，才能大大降低受到性侵犯的概率。

但是，如果不幸被侵害，那么不管侵害你的人是陌生人，还是家里的长辈、老师等熟人，你都要理智地做到以下几点：

（1）尽快告诉自己信任的亲人、老师或学校领导。有些男孩出于羞耻感，或是怕家人或老师批评而不敢告诉自己本应该相信、依靠的人，而宁愿自己一个人默默承受这份痛苦。其实被侵

害错不在自己，错的是施害者。只有在这些值得你相信的长辈的帮助下，你才能真正走出困境。

（2）要懂得用法律来维护自己的权益。对于那些失去理智、纠缠不休的无赖或违法犯罪分子，千万不要惧怕他们的要挟和讹诈，也不要怕他们打击报复。要大胆揭发其罪行，学会依靠组织和运用法律武器保护自己。即使侵害者是熟人，也不能沉默，否则性侵害者会更加有恃无恐；也千万不能“私了”，“私了”的结果常会使犯罪分子得寸进尺，没完没了；而是应当勇敢地站出来指证，这样不仅可以防止性侵害进一步反复，而且有利于事后公安机关搜集其犯罪证据。

（3）学会保护证据，如不要洗澡，保留对方的毛发、分泌物、血液、抓痕和现场遗留物。如果可能的话，还应该让他人拍下能证明自己所受伤害的照片，同时最好能找一个证人，把她（他）的证词做好记录。

（4）受到伤害后，应尽快去医院检查，以防止内伤或感染性病等，并及时进行心理咨询、心理治疗，医治精神创伤。

处于青春期的男孩在平时生活中一定要掌握一些保护自己的技巧。如果不幸遭遇了性侵犯，也不要乱了分寸，要在第一时间最大限度地减少自己可能遭受的伤害，然后勇敢地运用法律武器保护自己。

怎样做才能少做性梦？

我最近不知道怎么了，晚上做梦的时候经常梦到我和女生们在一起玩，有的时候在梦境中会出现一些难以启齿的画面，可是在现实生活中，这些根本就没有发生过啊。

这到底是怎么了呢？

我在那里想着想着，想不出答案来。

这到底是怎么回事呢？我是不是变坏了？在这些思想包袱下，我的压力越来越大了。

谁能告诉我，我这是怎么了？

悄悄说给男孩听：

处于青春期的男孩很多都有性梦，这是一种伴随性成熟出现的正常的生理现象。很多男孩为此觉得自己不纯洁，甚至有罪恶感，处于青春期的男孩要消除这种误解。大多数男孩都有做过性梦的经历。性梦内容五花八门，有的是一些带有色情内容的凌乱片段，我们不必为此烦恼，它其实是进入青春期的一种潜在的性意识活动，也是男孩身体发育成熟的表现，是正常的生理现象。不过，如果男孩性梦过于频繁，并伴有频发梦遗现象发生，就会影响到其精力，所以，要合理避免性梦的频繁发生。

进入青春期后，性器官逐渐发育成熟，青春期男孩的心理也在发生微妙的变化。此时，他们不仅对异性开始产生亲近的意识，而且对两性的奥妙比较好奇。又由于日常生活中性文化和电影书刊对处于青春期的孩子会有不同程度的影响，会在意识层面让他们渴望接触异性，这种欲求就以性梦的形式表现出来了。其实按照心理学家弗洛伊德的说法，这是人的性本能的反映。而男孩子的性激素多些，所以男孩子做性梦的可能性非常大。

所以，我们要正确认识这种现象，打破传统的关于性梦有害的误解。相反，性梦还有助于消除紧张的性心理，只要在适度的范围内，性梦对身体反而是有益的。

当然，性梦过多也会伤害身体。要少做性梦，首先要从净化生活环境着手，尽量不要接触黄色书刊和色情文化，从而减少性暗示。此外，和女孩交往要适度，减少性梦产生的土壤。良好的生活习惯也很重要，不赖在床上不起，不趴睡，不穿过紧的内裤等，可在一定程度上避免对性器官产生过多的刺激，也可以减少性梦发生的频率。

处于青春期的男孩，要正确对待性梦，把精力用在学习上，从学习中得到乐趣。同时，积极和他人交流，参加适当的体育活动，阅读一些有益书籍，从而放松心情、娱乐身心，这样可以转移注意力，让性梦自然适量存在。

同学推荐我看黄色光碟和小说

最近，我们班的男生中秘密流传着一本小册子。大家都在背地里讨论这个小册子的内容。

这到底是怎样的一个小册子呢？对此我也好奇起来。

中午大家都在教室里休息，楠楠神秘地冲我招招手，我想预习下午要学的知识，本不想过去，但他向我神秘地指了指桌子下面的小册子，我才发现原来小册子传到了他那里。

我想起最近班里那些人神秘的样子，也很好奇到底讲了什么。楠楠指了指外边，然后我俩就到操场上找了个没人的地方坐了下来。

翻开楠楠递给我的书，看了第一页，我就脸红心跳了。这里边的内容都是讲性爱的，那些内容让人不由得就脸红了，可是还想读下去。

可是，这些我应该接触吗？

悄悄说给男孩听：

处于青春期的男孩对性的好奇达到了前所未有的程度，既包括对异性的接触，也包括探索异性的身体、心理等活动。这其实都是正常的发育和成熟必经的阶段，但是因为社会认识的成见和家长、老师的有意压制，使原本很正常的事情反而变得不正常。

于是，为了满足自己的性好奇，很多男孩子就会通过其他渠道来获得满足，这反而给其带来了更大的伤害。

日常生活中能够接触到的色情图书、网站、影片，都是深深吸引青春期男孩的性诱惑，尤其是其中那些大胆、露骨的性行为会让他们对性产生误解和不正确的认识，甚至可能诱发某些性冲动，效仿其中的某些性行为，做出极端的事情来。

当然，青春期男孩爱看色情电影和图书，除了性的诱惑外，还有一个很重要的原因，是他们的一些性问题得不到正确、及时的解答，带着这些性疑问，他们就想从色情图书和电影中找寻答案。所以，控制想看色情影片和图书的心理不能仅仅是压制和强行控制，还应该了解一些性方面的知识，化解心中的疑问，自然就少了好奇。

此外，要避免接触色情图片、文字、视频之类可能导致性幻想的东西；多和朋友交流，多参加一些集体活动以及性教育活动；多培养一些兴趣爱好，确定一个自己的人生目标。这些都是解决这一问题的好办法。

“打飞机”会不会对身体有伤害？

最近，一种内疚感、罪恶感时常困扰着我。我知道这是手淫给我带来的心理压力，但日渐强烈的性欲望使我不如此发泄一下，就过不了这关。可是快感消失后，伴随的是更加内疚的紧张心理。我害怕这样会影响身体健康、害怕影响今后的前程，更害怕别人知道后嘲笑自己。手淫带来的恐惧与焦虑，尽管通过再度手淫能得到暂时缓解，但很快又被更深的紧张替代。我陷在这个怪圈中无力自拔，以致失眠……而且我发现，就算自己睡着了，有时候也会做一些性方面的梦。自己是不是真的变成了坏孩子？这难以启齿的痛苦几乎改变了我原来的性格。

悄悄说给男孩听：

青春期是男孩向男人过渡的重要时期，在这一时期，男孩随着生长发育，雄性激素进一步增多，第二性征得到了较快的发育，这其中就包括性器官。在性器官不断发育的过程中，在雄性激素的作用下，性意识和性冲动越来越强。精满自溢是一种正常现象，但是，性欲的增强使得青春期男孩希望通过别的方式来释放，在缺少性爱的情况下，手淫则成了很多男孩的选择。

手淫是进行性宣泄的一种方法，能释放性能量，缓解性紧张。这是一种正常的生理现象，不可回避的现实，也是性成熟的一种表现，是解除性压抑造成的不安、躁动的有效方式。

所以，处于青春期的男孩如果出现了手淫也不必大惊小怪，更不必为之羞愧、悔恨和紧张，关键是别沉迷于此，应采取一些积极措施来转移和改变手淫的习惯，因为过度的手淫对人的身体伤害很大。

过度手淫属于一种心理障碍，并且会严重影响身体健康，造成一些泌尿生殖系统疾病、性神经衰弱等。如：

1. 对中枢神经系统的伤害

过度手淫会导致人的意志消沉、记忆力减退、注意力不集中、理解力下降、失眠、多梦、头昏、心悸等，使中枢神经系统受到损害。

2. 对泌尿生殖系统的伤害

过度手淫会引起尿频、尿末滴白、下腹不适、腰酸无力、性欲减退、阳痿、早泄、不射精等，这些都是泌尿生殖系统受伤害的典型表现。

那么，如何来判断是不是手淫过度呢？手淫过度分为以下三个方面：

1. 过于频繁的手淫

过于频繁的手淫是指超过一周一次的过于频繁地刺激性器官，可能导致阳痿、早泄或女子性冷淡。假如频繁手淫，成为习惯，甚至认为手淫可以代替性生活，则更会成为同性恋、自恋等病态人格的“温床”。

2. 过强刺激的手淫

过强刺激的手淫是指对生殖器施加了过于强烈的刺激，如用力过大等，往往容易造成器质性损伤，同时提高性兴奋阈限，造成以后性冷淡或正常性交无法得到性满足等。

3. 不适当地使用性工具

过度手淫还体现在超出自己精神认可范围的手淫，使用性工具会对生殖器官、性欲唤起造成损害。

如果说过度手淫对身体的伤害是很大的，那么还不能忽视的是对心理或者精神的伤害。很多男孩在手淫后会产生内疚和自责心理，往往想改正，可是又难以自拔，从而有了巨大的精神负担。

另外，一个不容忽视的事实是，一旦染上手淫，就很难彻底戒除，甚至很多时候会愈演愈烈。因此，鉴于过度手淫给身体带来的巨大伤害，处于青春期的男孩必须加以控制和戒除。

首先，要科学地认识这个问题，明白手淫的益处和过度手淫的不良后果，消除心理障碍，学会控制自己的情绪和行为。

其次，要学会抵制手淫的诱惑，当感到有性冲动的时候，要有意识地克制自己，把注意力转移到其他事情上，把精力放在学习上。

再次，要积极参加丰富多彩的文体活动，扩大自己的业余爱好，充实生活，淡化和转移性的欲望，控制和降低手淫的频率。

最后，养成良好的生活习惯，作息要有规律；不看带有强烈性刺激的书刊和音像制品；注意生殖器卫生，减少污垢的刺激；不穿过紧过小的内裤；不憋尿，以免膀胱过分充盈引起刺激。

第六章

怀孕和生育

为什么男人不能生孩子？

在今天的生理课上，老师首先问我们，小时候爸爸妈妈是怎么告诉我们自己是从哪里来的？好多同学都被告知是从外面捡来的，有的也会被告诉说是从妈妈的肚子里来的，有的甚至会从爸爸妈妈那里知道，自己是一只大鸟送来的。答案千奇百怪。老师卖完关子之后，就说今天我们的课程就是让同学们了解自己到底是怎么来的。

同学们都挺兴奋的，因为很少有机会这么正面地去看待这个事情，在家里爸妈好像都生怕我们知道自己是从哪里来的。

老师用视频短片和幻灯片的方式向我们详细地展示了精子和卵子相遇的过程。听起来就像是一场战斗，而“胜者为王”的道理也适用于那个世界。原来，竞争从我们还没有出生的时候就开始了。

接下来老师又讲了受精卵不断成熟的过程，重点讲述了妈妈十月怀胎的不同感受和变化。为了让同学们更加直观地了解这个过程的艰辛之处，老师甚至准备了沙袋，让同学们绑在肚子上，体验孕妇的生活。

不管男生女生都要去体验。开始还有男生向老师提出抗议：男孩子也不用生孩子，就不用体验这种生活了，让女生好好学吧。老师严肃地说道："即使男孩子不生孩子，也要去体验母亲的感受。你在妈妈肚子里的时候，你的妈妈也是这样一天天走过来的，她也和女孩的妈妈们一样负重，并且时刻担心着你的安危和健康，所以今天的活动所有人都要参加。"

男生们都不再叽叽喳喳了，大家开始认真地绑沙袋，体验孕妇的生活。我也戴着沙袋走来走去，真的好累呀，绑了一会儿就感觉很辛苦，而妈妈怀我的时候，竟然日夜都要负担着我的重量。我以后一定要好好对妈妈。原来从我还没出生，还未来到这个世界的时候，妈妈就开始为我操劳了……

可是为什么爸爸那么强壮却不能生孩子呢？

悄悄说给男孩听：

所有男孩恐怕都问过这样一个问题：我的生命来自哪里？但是他们对得到的答案却并不满意，生命真正的来源是奇妙而伟大的。

当一个婴儿用响亮的啼哭来向迎接他的众多人打招呼的时

候，你知道吗，他其实已经走过了大约十个月的并不短暂的旅程，而这个旅程其实也很奇妙，因为它道出了属于生命所独有的传奇。

女人怀胎十月后体内的胎儿就会从母体内出来，来认识外边这个全新的世界。这也就是母亲的分娩。分娩对每个母亲来说都是极为痛苦的过程，当然这痛苦中也包含着无限的喜悦，因为新生命的降临也宣告了一个女人到母亲的完美转型。

生命的孕育过程真的很神奇。在不足一年的时间里，从受精卵到胚胎到胎儿，这一过程复现了生物进化的全过程，也预示了生命的繁衍和生生不息。

孩子在母亲体内是生活在子宫里的，而这个器官只有女性才有，所以只有女人才能生孩子，而男人因为更强壮要面临外面的挑战。所以对男人来说，他们是不能生孩子的，他们更多的任务是去养孩子，给孩子提供充足的食物和养料，这在原始社会是非常重要的。

为什么射精一次会有上亿个精子？

我从书上看到，说一次射精会有上亿个精子，想想就很恐怖，这要都变成受精卵得变成多少呀……

想到这里，我就开始想，要是自己有一大屋子的孩子会发生什么事情。想着想着我就觉得太好笑了，不可思议，一边想一边不住地“嘿嘿嘿”笑了起来。

爸爸见我嘿嘿傻乐，过来问我是不是有什么事情。我把自己刚才想的告诉了爸爸，爸爸也乐了。

悄悄说给男孩听：

一个男人，从第一次遗精起到最后一次，只要精囊、前列腺、尿道球腺一切正常，体内精液生生不息，精子到底有多少根本无法计算。

一次射精平均2.75毫升，1～7毫升都属正常。射精后1～2天，新的精液则可及时补充进来。

制造精子大约需要70天，它诞生以后被“凝固”在精液内，无法自由游动。射精后5～30分钟，精液由胶冻状变稀薄，4亿个精子获得自由，奔向卵子，只有一两个可获此殊荣与卵子结合。因为它们只可以存活72小时，而在通过阴道、子宫的漫长旅途中只能存活12～48小时，所以大多数中途殉职，极少数抢占时间优势，和卵子结合为受精卵。

最后爸爸笑着说：“正常性成熟的男子一次射精排出数千万甚至高达2亿个左右的精子。在高等生物中，卵子是由卵巢产生的。所有哺乳类动物在出生时，卵巢内已经有未成熟的卵子存在，而且在成熟后卵子数目不会增加。卵子和精子结合受精便形成受精卵，即一个新生命的开始。如果每次性交只射出一个精子的话，人类大概就会灭亡了。”

从什么时候开始会让女孩怀孕？

楠楠最近总是心神不宁的，我关心地问他怎么了，他总是吞吞吐吐的。不说就不说吧，可是他的情绪越来越不好，遇到一点儿小事就乱发脾气，我觉得他肯定有心事。

有一天，我们俩放学一起回家。路上，他神秘兮兮地问我：“昊昊，你说两个人接吻会不会怀孕呢？”

“应该不会吧。”

“但愿不会……”

看着他一脸的问号和焦虑的眼神，我忍不住问：“楠楠，你是不是和别人接吻了？然后怀疑那个女孩怀孕了？”

听到我的问题，楠楠满脸通红，不好意思地点了点头，他让我先答应他一定要保密，然后楠楠把自己的担心告诉了我。

原来，楠楠和邻班的一个女同学谈起了恋爱，可对爱情懵懵懂懂的两人都不知道谈恋爱应该是什么样子，对两性知识的了解更是少之又少。一天，楠楠吻了那个女孩，但接吻之后，两人便后怕起来，女孩总担心自己会怀孕，一有身体不适，便以为自己怀孕了，所以最近总是特别不开心。

虽然我也不知道这个问题的答案，但是，我和妈妈无话不谈，我可以问问妈妈。我答应楠楠，一定在不把他的事情告诉妈妈的前提下寻求妈妈的帮助。楠楠同意了我的做法。于是，晚上，我就找妈妈聊起了这件事情。

悄悄说给男孩听：

妈妈听完我的话，对我说："昊昊，你今天问妈妈这个问题，难道妈妈给你讲的知识你都忘了？你自己想想，怎么会有小孩的？肯定是需要有受精卵，然后才能长成小孩，没有性交，只有接吻，怎么会怀孕呢？看来今天需要详细给你讲讲孩子是怎么来的了。"

妈妈说，在生孩子的过程中扮演重要角色的是卵巢，卵巢可产生并排出卵子，之后和精子结合后才能成为完全的种子。

卵巢的地位非常重要。卵巢分泌性激素，主要是雌激素、孕激素和雄激素等激素。雌激素对性器官、第二性征及卵泡和子宫内膜周期性发育与功能的维持都很重要。孕激素对子宫内膜的分泌期反应与孕卵着床是必需的。另外，雄激素也参与对卵泡生长和卵细胞成熟的调节，以及性功能的调节。女性的卵子并不是固定不变的，而是每个月都有一次排卵。在青春期，由于垂体分泌促性腺激素，卵巢内的原始卵泡开始发育，合成雌激素，卵细胞周围的空间充满液体，内含大量雌激素。增长的卵泡逐渐向卵巢表面移动，卵泡壁越变越薄，最后破裂，成熟的卵子随卵泡液流入盆腔，这一过程称为排卵。

月经和排卵的关系尤为密切，简单地说，排卵决定月经，如果没有排卵，就不会有月经；更确切地说，没有排卵就没有排卵性月经，人就不能生育。

排卵后卵泡壁萎缩，其中颗粒细胞增大，形成黄体，黄体可分泌雌激素和孕激素。排卵后12～14天，黄体开始萎缩，不再合成孕激素及雌激素。随着卵巢的周期性变化，子宫内膜也呈周期性变化，雌激素刺激子宫内膜增厚，细胞增大，血管更迂曲，称为增生期改变。排卵后，孕激素和雌激素协同作用，使子宫内膜增厚，腺体产生大量液体，称为分泌期改变。当雌激素和孕激素水平下降后，子宫内膜血管收缩，内膜缺血、坏死、脱落、出血，而成为月经。

另外，输卵管可运送卵子和精子，是主要的受精部位。子宫是孕育胎儿并娩出胎儿的器官。阴道是排放月经、娩出胎儿的通道。

孩子的形成过程说起来简单，其实很复杂，而对于女孩子的未来生活来说，其中一个重要的选择就是对孩子爸爸的选择，那不但关系到自己的幸福，也关系到孩子的人生。最关键的，你一定要对自己负责、对未来负责。

妈妈讲的这些话让我受益匪浅。当然，我也找到了问题的答案，明天，可以解开楠楠的心结了。

婴儿是怎么出生的？

周末，我和爸爸妈妈一起看电视，正好电视上在播放《西游记》。爸爸说那是他从小就喜欢看的一部电视剧。我很好奇爸爸小时候的电视剧是什么样子的，我也就兴致勃勃地看了起来。

很巧的是，电视播放的是第一集《西游记》，讲的是孙悟空出世。按照电视上播出的，孙悟空出世的时候，是直接从石头里蹦出来的。这让我产生了深深的疑惑，虽然我不清楚人是怎么来到这个世界上的，但是老师讲过《西游记》是神话小说，所以我并不相信石头里能真的蹦出人来，我想知道我是从哪里来的。

于是，我问爸爸妈妈："孙悟空是从石头里蹦出来的，那我是从哪里来的呢？"爸爸妈妈顿时无语，你看看我，我看看你，不知道如何回答我的这个问题，他们似乎在思考，到底该怎样回答我的这个问题呢？

悄悄说给男孩听：

“捡来的”“等你长大以后就知道了”这些答案似乎是我们听到的最多的解释。父母们不愿意告诉我们真相，也许是有他们的难言之隐，也许是不知道该怎样告诉我们。但是，他们并不知道，我们正是缺少这样一堂性教育课。

后来，妈妈详细解答了这个问题，妈妈说，每一个人都是由一个小小的受精卵成长而来的。受精卵在母体的子宫内发育成长，十个月后，成形的婴儿就来到这个世界上，从牙牙学语、蹒跚学步开始自己的人生旅程。

受精卵由精子和卵子共同组成。精子来自男性的生殖器官——睾丸，那里储存着大量精子。一个男子一生中产生的精子数目大得惊人——大约为1万亿个，而每次射精就包含3亿～4亿个。尽管随着年龄的增长，男性产生精子的数量会逐渐减少，但有些人直到70～80岁仍然继续产生精子。这些精子体态轻盈、运动灵巧，形状很像蝌蚪。

受精卵的另一个组成部分是卵子。卵子来自女性的生殖器官——卵巢，那里有大量的卵细胞。一般女性到了性成熟时期后，大约每个月就释放一个卵细胞，这些卵细胞通过输卵管到达子宫，在宫颈处准备与精子会合。一个女子一生中所能排出的卵细胞数目为360～420个。

很显然，不可能所有的精子和卵子都会彼此结合，也不可能都会产生受精卵。一般情况下，只会有一个精子能成功地和卵子相遇并结合，当然，双胞胎、多胞胎除外，但毕竟为数较少。而男性一次射精能够射出3亿～4亿个精子，女性一次排卵只有一个卵子，那最后谁会成为幸运儿和卵子结合呢？答案就是少数运动速度快、体质好的精子，这样也就保证了受精卵的遗传物质是男方和女方中最优秀的部分。

一旦精子和卵子结合成功，受精卵就开始分裂，并形成一个小球。这个小球会慢慢地由输卵管移入子宫，在子宫内开始成长发育，而这就是胎儿，十月怀胎后就会生产。

听完妈妈的话，我终于找到了问题的答案。

女朋友怀孕了该怎么办？

有一天，我和妈妈聊着聊着，我就问妈妈，那如果女孩不小心怀孕了该怎么办呢？

妈妈听到我这么说，愣了愣，叹了一口气说：“如果青春期的女孩怀孕了，千万不要随便找个黑诊所，把女孩置于危险的境地，一定要找爸爸妈妈，和爸爸妈妈把事情说清楚，让爸爸妈妈帮助解决。”

讲到这里，妈妈语重心长地说：“处于青春期的女孩子如果面临这些问题，那对她的身体和心理都会有很大的伤害，到时候男生一定不能躲，一定要对自己的行为负责。”

悄悄说给男孩听：

性意识的朦胧可能会让少男、少女偷尝禁果，一般情况下，他们都是偷偷摸摸地进行，缺乏必要的准备，因此会精神紧张。同时，在性生活过程中和事后会因怕怀孕、怕暴露而产生恐惧感、负罪感及悔恨情绪，久而久之，还会使人发生心理变态，如厌恶异性、厌恶性生活、性欲减退、性敏感度降低和性冷淡等。这些都会对青春期孩子的未来正常的婚姻生活造成一定的负面影响。

十几岁的少女正处在学习、工作和积累知识，为自己创造辉煌未来奠定坚实基础的黄金时代，如果有性生活必当会分散精力，甚至无心学习，对本人、家庭和社会都不利，严重的会影响学业甚至一生的命运。

女孩在十几岁应忌性生活，要珍惜自己的青春与身体，应把注意力和兴趣投入学习、工作中去，这对于自身的健康成长、事业成就、生活幸福都有重要意义。

如果女孩在性交时不采取有效的避孕措施，极有可能怀孕，一旦怀孕就必须做人工流产，这是唯一的措施，而人工流产不仅对女性身体不利，还容易引起一系列的并发症，如感染、出血、子宫穿孔以及婚后习惯性流产和不孕等，而且周围的舆论压力和女孩本身的自责、内疚，会给自己造成更为严重的心理创伤。

最后妈妈说，一定要和爸爸妈妈谈谈，求助于父母，也许和爸爸妈妈之间会有争吵，但是，如果不告诉爸爸妈妈，这件事情得不到妥善处理，最受伤害的还是自己。

怎么才能紧急避孕？

冬天了，我和妈妈都喜欢在周末的午后，坐在阳台上晒太阳。今天，妈妈准备了热热的果汁，还有刚烤好的曲奇饼干，看来，妈妈要和我聊天了。

“昊昊，咱们今天不聊别的，就聊一个话题——紧急避孕。”

啊，听到“紧急避孕”四个字，我头都大了。

妈妈怎么会说这个呢？好难为情。

“昊昊，你长大了，为了以防万一，妈妈要给你讲讲这个问题。”

我不好意思地坐在那里，爸爸在客厅沙发上看报纸，听到我和妈妈说这个问题，他借故走开了。只剩下我和妈妈，气氛就不那么尴尬了。

悄悄说给男孩听：

妈妈说，男孩长大了，就要多了解，就要想办法把伤害降到最低。紧急避孕是女孩受到性侵犯以后必须应采取的行动。它是指未采取避孕措施进行性生活或避孕措施失败后，为避免怀孕而临时采取的紧急补救方法，一般在事后72小时内进行。

紧急避孕的方法并不复杂。若性生活刚刚发生之后，女性可立即进行阴道冲洗，冲洗时取蹲位，可使用温水或肥皂水，如果及时、彻底，可达到避孕的目的。除了这种方法，还要学会使用紧急避孕药，这是比较科学的避孕方法。

紧急避孕药有很多种，最常用的要数毓婷了，这种药物是在房事以后的72小时内服用第一片，然后再隔12小时服用第二片，而它的总量为两片。还可以选择安婷，要在没有防护的性生活之后的72小时之内服用，而且是越早服用效果越好。

值得注意的是，过期避孕药具不能使用，其他还要注意的是：

首先，药物紧急避孕只能对本次无保护性生活起作用，且一个月经周期中只能服药一次。

其次，紧急避孕只是一种临时性补救办法，绝对不能作为常规避孕方法反复使用。

使用紧急避孕药失败而妊娠者，有可能存在对胎儿潜在的不利影响，应当咨询相关专家。最后要提醒大家，紧急避孕要在医生指导下进行。

另外，紧急避孕药在一个月经周期内只能服用一次，一年内只能服用2～3次，多次服用可能会产生很多不良反应，比如月经紊乱，多数女性月经会按时来潮，也有一部分女性在服用紧急避孕药后出现月经提前或延迟的情况。如果月经延迟一周，应该做尿妊娠试验，以明确是否紧急避孕失败。

还有，服用紧急避孕药的女性出现恶心症状的概率高，约为50%；左炔诺孕酮次之，约为20%；米非司酮最低，为6%～7%。恶心一般持续不超过24小时。

妈妈最后说，发生了这种事情，一定要第一时间求助于家长，不要一个人处理，否则是对女孩的不负责任，也会对女孩的心理造成非常大的伤害。

第七章

在青春期调理出健康美丽

晚睡真的对身体有伤害吗？

放假了，我的生活没有了上学时的规律，每天睡得很晚，第二天也起得很晚。对此爸爸妈妈总是说我，让我早点儿睡，我觉得，早点睡晚点睡不都一样吗？晚点睡的话可以晚点起，睡眠时间不也够用吗？

在妈妈的唠叨和我的坚持下，我的晚睡晚起越来越严重了，爸爸出马，给我约法三章，让我晚上10点前必须入睡。

看着爸爸着急的样子，我真觉得他和妈妈有点小题大做了。

悄悄说给男孩听：

现代医学研究发现，健康的生活习惯和有规律的睡眠可使体内的激素正常分泌，并保持相对平衡，从而保证生命器官在稳定的内环境中工作。如果经常熬夜，正常运行规律就会被打乱，激素的分泌规律也将改变，使生命器官遭受不同程度的损害，从而危害健康，甚至缩短寿命。有人对长期熬夜的人和坚持早睡早起的人进行对照研究，发现经常熬夜的人长期处于应激状态，一昼夜体内各种激素的分泌量较早睡早起的平均高50%，尤其是过多地分泌肾上腺素和去甲肾上腺素，使血管收缩较早睡早起的人高50%。此外，长期熬夜的人更容易遭受癌症之害，因为癌变细胞是在细胞分裂中产生的，而细胞分裂多在睡眠中进行。熬夜容易使睡眠规律发生紊乱，影响细胞正常分裂，从而导致细胞发生突变，产生癌细胞。

熬夜会对身体造成多种损害：

经常疲劳，免疫力下降：人经常熬夜造成的后遗症，最严重的就是疲劳、精神不振，人体的免疫力也会跟着下降。自然，感冒、胃肠感染、过敏原等的自律神经失调症状都可能因此而发。

头痛：熬夜的第二天，上班或上课时经常会头昏脑涨、注意力无法集中，甚至会出现头痛的现象，长期熬夜、失眠对记忆力也会有无形的损伤。

出现黑眼圈、眼袋：夜晚是人体的生理休息时间，该休息而没有休息，就会因为过度疲劳造成眼睛周围的血液循环不良，而引起黑眼圈、眼袋或者白眼球布满血丝。

皮肤干燥，长黑斑、青春痘：晚上11时到凌晨3时是美容时间，也就是人体的经脉运行到胆、肝的时段。这两个器官如果没有获得充分休息，就会表现在皮肤上，容易出现皮肤粗糙，脸色偏黄，长黑斑、青春痘等问题。对于不习惯早睡的人来说，最迟也要在凌晨1时的养肝时间进入熟睡期。

更糟糕的是，长期熬夜会慢慢地出现失眠、健忘、易怒、焦虑不安等神经、精神症状。

在不得不熬夜时，事先、事后做好准备和保护是十分必要的，至少可以把熬夜对人身体的损害降到最低。

首先，虽然晚睡但按时进餐，而且要保证晚餐的营养丰富，多补充一些含维生素C或含有胶原蛋白的食物，有利于恢复皮肤的弹性和光泽。鱼类、豆类产品有补脑健脑功能，也应纳入晚餐食谱。熬夜过程中要注意补水，可以喝枸杞大枣茶或菊花茶，既补又有去火功效。

其次，晚睡不“晚洗”。一般而言，皮肤的作息时间是在22：00～23：00进入晚间保养状态。这时是皮肤吸收养分的好时机。有条件的晚睡族群在这段时间里，一定要进行一次皮肤清洁和保养。用温和的洁面用品清洁之后，涂抹一些保湿营养乳液。这样，皮肤在下一个阶段虽然不能正常进入睡眠，却也能正常得到养分与水分的补充。

熬夜之后，最好的保护措施自然是“把失去的睡眠补回来”。如果条件不允许，午间的10分钟小睡也是十分有用的。此外，打打羽毛球，多去户外走动，有助于个人的身体健康和精神愉快，也是摆脱熬夜后萎靡状态的好办法。

我想怎么吃就怎么吃，为什么不可以？

我从小长得就瘦，是班里的“小不点儿”。不知为什么，我总是胃疼胃胀，还总是腹泻，吃什么也不吸收。

我早上不习惯早起，起床后就匆匆忙忙往学校赶，渐渐养成了不吃早餐的习惯。中午在学校也是草草吃几口，只有晚上回到家才可以美美地大吃一顿。

妈妈经常警告我：“小孩子不吃早餐会变笨的，晚上吃太多，胃会不舒服，还睡不好觉。”可是吃晚餐的时候，看着那么多美食，我控制不住就会狼吞虎咽，妈妈又不忍心不让我吃，只得尽量把饭菜做得清淡些，经常做一些菠菜豆腐汤之类的。和许多孩子一样，我喜欢喝各种冷饮，什么冰镇汽水、冰粥之类的。不仅如此，我对凉的东西似乎情有独钟，像冰镇西瓜、冰镇西红柿、冰镇香蕉真是百吃不厌。因此，经常肚子不舒服。有时候一堂课我能跑几趟厕所，这已经明显影响了我的学习。我特别爱吃水果，这本来是个好习惯，但是吃水果不分时间，经常开饭前几分钟还在啃苹果。尽管妈妈每天费尽心思地给我搭配饮食，可我还是那么瘦弱。妈妈咨询了营养师，发现我的饮食习惯有问题，这样吃下去是很危险的。妈妈决心帮助我合理调整膳食。

听着妈妈天天为了吃什么冲我唠叨，我真挺不耐烦的。我想吃什么就吃什么，为什么就不可以呢？

悄悄说给男孩听：

男孩们可曾注意过，本来无毒的两种东西，同时吃却可能导致中毒或其他不良反应？这就是食物的相克现象。生活中有一些饮食搭配其实很不合理，如目前人们经常采用的牛奶加汉堡包或三明治配膳。因为牛奶里含有大量的钙，而瘦肉里则含磷，这两种营养元素是不能被同时吸收的，医学界称为磷钙相克。

此外，还有鸡蛋忌糖精、土豆忌香蕉、芹菜忌兔肉、豆腐忌菠菜、羊肉忌西瓜等。因此，在日常生活中要注意避免以上食物搭配。

我们在平时生活中要特别注意饮食安全。下面列举一些不良的饮食习惯，希望处于青春期正长身体的男孩们尽量避免。

1. 不吃早餐，却常吃夜宵

有人曾夸张地说，正确的饮食习惯应该是，早上吃饭要像皇帝，中午吃饭要像平民，晚上吃饭要像乞丐。不吃早餐，饥肠辘辘地开始一天的学习工作，身体为了取得动力，会动用甲状腺、副甲状腺、脑下垂体之类的腺体，去燃烧组织，除了造成腺体亢进之外，更会使得体质变酸，患上慢性病。而常吃夜宵会导致变胖，甚至得胃癌，因为胃得不到休息。

2. 经常大量食用冷饮

比如一次吃4～5个冰激凌，或喝2～3瓶汽水，这对青少年的健康极为不利。过食冷饮会引起青少年胃肠道内温度骤然下降、局部血液循环减缓，影响对食物中营养物质的消化和吸收，甚至可能导致青少年消化功能紊乱、营养缺乏和经常性腹痛。

3. 经常食用冰镇西瓜

西瓜放在冰箱中不能超过两小时，否则食用后会对脾胃和咽喉造成很大的伤害。西瓜本身性冷，如果在冰箱里冷藏过久，对脾胃伤害极大，容易导致腹胀、腹泻，引发脾胃不适。

4. 饭前饭后吃水果

吃水果的正确时间是饭前一小时和饭后两小时左右（柿子除外）。如果是临近吃饭才吃水果，水果更易消化，引起食物消化滞后；如果饭后马上吃大量水果，会造成肠胃负担。

另外，不要在晚上睡觉前吃水果，不然充盈的胃肠会使你的睡眠受到影响。生活中有很多饮食安全常识，我们不可能一一去学习并在生活中完全按照其规则饮食，但是掌握一些基本的方法，并尽力避免因饮食不当带来的麻烦，则是非常有必要的。

看手机时间长了眼睛看东西模糊

自从家里有了平板电脑，我自己也配了手机，我和朋友们在一起就不再交流动画片了，而是哪个游戏最好玩，哪个游戏怎样才能最快过关。这样，我常常沉浸在游戏里。虽然妈妈总是提醒我要注意用眼健康，可是，我还是对这些不以为然。

可是，突然间，我发现自己看老师的板书有点儿模糊了，上学的时候看公交车站牌也看不太清楚了，难道我的眼睛坏了吗？

想到这里，我不由得吸了一口冷气。

挣扎了半天，我把情况告诉了妈妈。妈妈立刻带我去了医院。在眼科做完一系列的检查后，医生说我的眼睛近视了，并告诉我，以后要注意爱护眼睛，不要长时间看电视、看电脑、看手机，并给我配了眼镜。想想戴着眼镜打篮球是多么不舒服，我就非常后悔了。当初真应该听爸爸妈妈的话保护好眼睛。

悄悄说给男孩听：

有关资料表明：世界平均近视眼的发病率为22%，我国近视眼的发病率为35%，甚至还有继续增高的趋势，是近视眼患病率较高的国家之一。

近视眼的形成除了先天遗传，与后天的不良习惯有很大关系，主要有以下几个原因：

1. 用眼距离过近

处于青春期的男孩的眼球，正处于生长发育阶段，调节能力很强，球壁的伸展性也比较大，阅读、写字等近距离工作时的调节和集合作用，使眼外肌（主要是内直肌）对眼球施加一定的压力，眼内压也相应升高。如果经常近距离用眼，会使眼睛的调节异常紧张，从而形成假性近视。如果长期调节过度，使睫状肌不能灵活伸缩，眼球壁受压渐渐延伸，眼球前后轴变长，超过了正常值就会形成轴性近视眼，就称为真性近视。

在此提醒处于青春期的孩子们，眼睛距书本的距离应保持在30～35厘米；看电视时，应距离电视机3米以上。

2. 用眼时间过长

有的处于青春期的男孩看书、写字、做作业或看电视、玩电脑等连续几小时不休息，这样不仅影响身体健康，而且使眼睛负担过重，长时间处于紧张状态得不到休息而呈痉挛状态，这样看远处就会感到模糊，而形成近视。很多孩子经过一个暑假视力就明显下降，多半是由于沉迷于电视或电脑游戏。

对此，专家提示：不管是看书、写字还是看电视、玩电脑，都应该注意让眼睛充分休息，最好是每隔一会儿就休息片刻或向远处眺望一会儿，让双眼得到充分的调节和休息。同时，由于人在看近物时，眼睛是向内、向下看的，所以在休息时，尽量让眼睛向左上方和右上方看。如果感觉到眼睛疲劳了，可以立即做保健操，适当的眼部按摩马上就会有“急救”的功效，能舒缓眼睛的疲劳感，让它恢复神采。如果有可能，在假期里，青少年最好能离开书本、电视和电脑等，多走进大自然，登高望远，浸润绿色，使眼睛得到彻底放松。

3. 用眼时的照明光线过强或过弱

照明光线也是影响视力的重要因素。因为光线是引起视觉最基本的条件，以看书为例，如果用眼时光线太强，会引起书本的光线强烈反射，刺激眼睛，使眼睛不适，容易视力疲劳；相反，光线过弱，照明不足，眼睛不能清晰地看清字体，头部就会向前凑向书本，同样会使眼睛容易疲劳，使眼睛的调节过度或痉挛而形成近视。因此，在看书写字时，应该注意调节灯光以自己感觉舒适为宜，不可过强或过暗；而在看电视或电脑时，室内光线也不宜过暗，不要把照明灯都关闭，最好能开一盏灯，可起到保护视力的作用。

4. 在行走的车上或走路时看书、玩游戏

有的青春期男孩充分利用时间，边走路边看书，或在行走的车上看书，或是抱着游戏机玩，这样做对眼睛很不利。因为车厢在震动，身体在摇动，用眼距离无法固定，加上照明条件的限制，则加重了眼睛的负担，经常如此就可能引起近视。不仅如此，边走路边看书或在行走的车上看书或打游戏机还存在很大安全隐患，容易摔倒或发生交通事故。处于青春期的孩子们一定要纠正这个坏习惯，利用行车或走路的时候放松一下紧张的精神和眼睛。

5. 躺着看书

许多处于青春期的男孩喜欢躺在床上看书，觉得惬意又舒服，但对于眼睛来说，这却是一个坏习惯。人的眼睛应保持水平状态看书，使调节与集合取得一致，减少眼部疲劳。如果躺着看书，两眼通常不在水平状态，眼与书本距离远近不一致，这样可加重眼睛负担，日久就容易形成近视。

6. 睡眠不足

睡眠不足是近视眼形成原因中很重要的一条。处于青春期，眼睛的发育和视力调节主要受植物神经的支配，如果植物神经出现功能紊乱，眼内睫状肌就会出现异常收缩，使眼轴变长，从而形成近视。目前，有调查和统计资料证实，造成眼部植物神经功能紊乱的首要因素，是缺乏睡眠。因为眼睛实质上是大脑组织的延伸部分，故大脑得不到充分休息就必然会影响眼睛的健康。对于青少年来说，每天保证8～9小时的睡眠是十分必要的。

对于青春期男孩来说，近视预防是根本，应该努力做到以下几点。

1. 养成良好的作息和生活习惯

按时学习、休息，生活要有规律，不熬夜，保证充足的睡眠。经常锻炼身体，多进行一些户外活动，保持良好的身体状态，平时坚持做眼睛保健操，每天1～2次，这样有利于减轻视觉疲劳。

2. 培养良好的用眼习惯，注意用眼卫生

看书时身体要坐正，眼睛和书本保持约33厘米的距离；连续读书、写字50分钟左右，要休息5～10分钟；绿色对眼睛有好处，休息时可多看看草坪、树林；不要在光线过强或过弱的地方看书、写字，保证室内充足的光线和照明，不要躺着或在摇动的车厢内看书。

3. 要保持足够的营养

为了不断满足人体对多种维生素的需要，处于青春期的孩子们一定要注意营养卫生，不偏食、不挑食、不暴饮暴食，多吃水果、蔬菜，少吃糖，尤其要保证对眼睛有益的营养素的食物摄入，补充有利于维持正常视力的营养物质，可以多吃富含维生素A的食物，如各种动物肝脏、鱼肝油、鱼卵、禽蛋、胡萝卜、菠菜、苋菜、苜蓿、红心甜薯、南瓜、青辣椒等。同时要避免铬、锌等微量元素的缺乏，如人体铬、锌含量不足，也容易诱发近视。可多吃一些含锌、铬较多的食物，如黄豆、杏仁、紫菜、海带、黄鱼、奶粉、茶叶、羊肉、牛肉等。

4. 注意看电视、电脑的时间不要过长，距离不要过近

每次看电视、电脑时间不可过长，约一个小时要远眺一会

儿，距离电视机、电脑也不宜过近，距电视屏幕须在3米以上，距电脑屏幕最好在50～60厘米。另外，电视、电脑屏幕要设置成柔和的有利于眼睛的颜色和亮度，画面的亮度和颜色不可过于刺眼。

5. 积极参加户外活动与体育锻炼，增强体质

积极参加户外活动可以起到放松眼睛的作用，同时，机体素质的好坏与处于青春期的孩子近视的发生也有密切关联。比如说，患急慢性传染病、体质虚弱的孩子患近视眼的概率更高。

6. 要定期检查视力

定期检查自己的视力，一旦发现视力下降，就要及时到医院就诊，预防近视。处于青春期的孩子最初近视往往是假性近视，而假性近视可以通过治疗得以恢复，真性近视则难以恢复，应及时配戴眼镜加以矫正，防止视力进一步下降。

总之，青春期的你只要从以上几方面加以注意，就会保护好自己的一双眼睛，远离近视等各种视力问题。眼睛是心灵的窗户，提高爱眼护眼意识，科学预防近视，是每个处于青春期的孩子不可忽视的事情。

牙又疼了

长这么大，因为牙齿不好去了好多次医院了。每次走进口腔科诊室，那“悦耳”的钻头声就会让我不禁冒出一身鸡皮疙瘩，想想都觉得后怕。

牙疼让人确实很烦恼，但是，牙为什么疼呢？我好想解决这个难题。

悄悄说给男孩听：

龋齿，俗称“虫牙”“蛀牙”，是指在多种牙细菌、食物残渣发酵变酸等外界因素作用下，牙齿硬组织脱钙和有机质分解，使受害牙齿组织破坏、崩解，牙釉质、牙本质遭侵蚀受损，在牙齿上形成龋洞的一种疾病。龋齿是青少年中常见的牙齿病之一。

在人们的认识中，龋齿似乎是小病。而事实上，由于其具有进行性发展的特点，是造成牙齿疼痛、丧失咀嚼功能的主要疾病，严重时可能影响人的一生。因此，龋齿绝不能忽视。

一般来说，青春期男孩出现龋齿的原因有：过多食用甜食；乳牙釉质的钙化程度较低，致使牙齿的抗龋能力降低；口腔卫生意识淡薄，不注意口腔卫生，未养成早晚刷牙、正确刷牙的良好习惯等。

患龋齿的人由于牙痛而不能充分咀嚼，妨碍消化和吸收，从而可能引起其他疾病或影响生长发育，所以应积极加以防治。

有牙科医生认为，主要应从以下五方面预防龋齿。

1. 饮食结构合理，注意营养

处于青春期的男孩预防龋齿，首先应该注意合理的营养，多吃含有钙、磷、维生素的食物，如豆制品、海产品、牛奶、鱼肝油和含有大量维生素与无机盐的新鲜蔬菜及水果等。这些食物对牙齿的发育、钙化都有很多益处。

2. 多食粗粮、纤维素高的食物

现如今的食物越来越精、越来越软，使用口腔肌肉、牙齿的活动相应减少。而增加膳食中的纤维素，如食用玉米面、高粱、豌豆、蚕豆、豇豆、白菜、韭菜、竹笋、萝卜、荠菜、黄瓜、南瓜、苹果、梨、西红柿等，则可以增加使用口腔肌肉、牙齿咀嚼的机会，除去牙缝内的污垢，使口腔得到保健，减少龋齿发生。

3. 少吃零食和糖果

少吃零食和糖果可以减少龋齿的发生，这对儿童尤为重要。

应特别注意的是，睡前不要吃糖果、糕点等零食。

4. 应用氟化物

氟素可预防龋齿，无论是牙齿表面局部涂布氟化物，还是控制饮水中的含氟量，均有显著的防龋效果。在饮食上，可选一些含氟的食品，例如莴苣、白菜、青葱，或喝茶水，使用含氟牙膏，都能够起到一定的预防龋齿的作用。但是，氟素防龋要防止氟素过多，否则会妨碍牙齿的发育，有时还会引起全身氟中毒的现象。

5. 要特别注意口腔卫生

坚持每天早晚刷牙，特别要坚持每晚睡前刷牙；同时要根据年龄不同选用适合口腔大小的牙刷，在刷的时候依照先上后下、先外后里等顺序，保证每个部位无遗漏，充分起到清洁牙齿的作用。因龋齿大都发生在牙齿的窝、沟及两牙相邻处等容易滞留食物残渣的地方，所以，应选择刷毛较细且有一定韧性的牙刷，以保证其可以刷到缝隙内。牙刷使用后要彻底清洗、干燥，刷头向上置干燥通风处，并注意每三个月更换一次牙刷。

相信通过以上努力，处于青春期的你就会拥有一口洁白健康的好牙齿，避免龋齿的侵扰了。

在此，应特别提示的是，平时除了注意预防龋齿外，还应经常检查牙齿，如果发现牙齿变成黄褐色、棕黑色，或是牙质变软、出现了小洞，一定要及时治疗，这是龋齿的初级阶段。如放任不管不祛除局部存在的菌斑致病因素，病变就会缓慢持续地进展，很难自动停止，也没有自愈性。此后龋洞会变大加深，遇到冷、热、酸、甜等食物的刺激就会出现酸、痛等感觉，若进一步发展，龋洞侵蚀到牙髓，遇刺激时就会出现剧痛并可能引起牙髓炎等牙病。

让人发愁的体重

壮壮人如其名，胖乎乎的。他和我们站在一起总是能大出几号。我们一起吃饭的时候，壮壮并不是吃得最多的那个，但是他却最挑食。每次他都把肉挑得干干净净，菜会剩下一大堆。他几乎不喝白开水，天天各种饮料不离手。

学校组织学生身体素质调查，壮壮对此并不担心，他觉得自己完全没问题，但是结果却让他大跌眼镜，他成了班里评分最低的同学。最可笑的是，他被医生诊断为营养不良。同学们听了都笑他，说他这么胖，哪儿会营养不良，他也很奇怪，回家告诉了妈妈。妈妈也不知道什么原因，担心是不是搞错了。于是，妈妈带他去医院咨询了医生。医生说，营养不良没错，原因是他虽然胖，但是偏食、挑食，喜欢吃肯德基、麦当劳这些洋食品，不喜欢吃水果和蔬菜，也不喜欢喝白开水，喝水都是用可乐代替，久而久之造成一些微量营养素缺乏。医生建议他改善目前的饮食习惯，必须戒掉“洋快餐”，同时规范三餐，荤菜应多吃鱼肉、禽类；蔬菜以深色绿叶菜为主，搭配其他黄色、红色蔬菜（如胡萝卜、番茄）和菌菇；多吃豆制品、紫菜、虾皮和海带以补充钙；多吃洋葱、大蒜、韭菜以补充益生元等。壮壮这才明白：原来“看起来”健康，并不代表真健康。

悄悄说给男孩听：

很多人都误认为，胖是营养过剩，瘦则是营养不良。其实，这种看法较为片面，胖人不一定不缺营养。胖人只是体内脂肪富足的表现，并不代表钙质等矿物元素和维生素也足量。

因此，不能把胖瘦当作判断营养状况的标准。据有关统计显示，胖人和瘦人两种人群中大约有25%的人患有营养不良症。

营养不良对青春期孩子的危害很大，会导致贫血，严重时还可能导致多器官衰竭。如何避免营养不良？处于青春期的孩子要遵循专家给出的以下建议：

1. 合理膳食，保证营养供应

青春期是长身体的关键时期，是身体健康的定型阶段。

正处于生长发育中的青春期男孩应注意饮食多样化：按营养学要求，一日的膳食应该有主食、副食，有荤有素。专家建议，处于青春期的孩子要多吃含钙、蛋白质、维生素比较丰富的食物，还应注意补充各种微量元素，如铁、碘等许多营养成分，虽然需求量小，却是不可或缺的。处于青春期的男孩如果缺铁，就无法合成足够的血红蛋白，会导致贫血，使器官组织因为缺氧而窒息；如果缺钙，机体便不得不从骨骼中挖掘，骨密度会大大降低，容易患骨质疏松症。

专家建议：每天必需的各类食物，如主食为300~500克（高中男生要保证每天有500克主食），肉、禽类为100~200克，豆制品为50~100克，蛋类为50~100克，蔬菜350~500克。

此外，如果有条件，还应多吃水果、坚果，尽量做到多样化，不要只吃喜欢的东西，对不喜欢的东西不闻不问，否则，长期偏食则容易造成营养不良。

2. 三餐定时定量

一日三餐应做好安排，目前比较流行的观点是，早餐最重要，即早餐要摄取足够的热量以保证上午的活动，最好能有牛奶、橙汁，还有煎蛋、果酱、面包和肉类食品。午餐既要补充上午的能量消耗，又要为下午的消耗储备能量。因此，午餐食品要有足够的蛋白质和脂肪。晚餐则不宜食用过多的蛋白质和脂肪，以免引起消化不良和影响睡眠。

应做到每日三餐定时，以八九分饱为宜，两餐间可吃些水果或有营养的零食。

3. 切忌乱补营养

营养学家指出：孩子的健康成长，关键是靠营养丰富、搭配合理的三餐。保健品起到的作用少之又少，甚至可以说，吃保健品吃出来的“健壮”，无异于揠苗助长。

首先，无论打着何种旗号的保健品都不可能适合所有处于青春期的男孩。该补充什么营养元素，不能只听广告的，必须进行正规检查之后，根据医生的建议进行合理补充，否则很可能适得其反。

其次，对于平时身体状况良好、饮食丰富的青春期男孩而言，无须通过保健品补充营养元素，否则很可能造成身体内平衡失调，反而不利于身体健康。

有狐臭怎么办？

每天早上，我都会坐公交车去上学，今天也如此。

站在我旁边的是一个打扮入时的男孩，看上去阳光帅气，我恰好就站在他的旁边。

立定之后，觉得有一股难闻的气味飘过来，我顺着这股味道闻了过去。啊，原来“发源地”竟然是那个英俊的男孩。

晕！我对那个男孩的美好印象马上打了五折。

来到学校，我对同桌说：“今天站在我旁边的是一个严重的狐臭患者，我忍了一路，还好挺过来了。”

“那恭喜你啊，闯关成功。”同桌一脸坏笑，“其实我也曾经遇到过那种有严重狐臭的人，而且那个人还在不停地和我说话，我想躲他远点儿都不行。”

我的内心有点暗自庆幸：还好，我只是运动完有汗臭味，不是狐臭。

悄悄说给男孩听：

人体中分布着许许多多的汗腺，其中腋窝是大汗腺比较集中的地方之一。汗腺的分泌物有一定的气味，但每个人的气味有所不同。

处于青春期的男孩一般腋下的大汗腺都很发达，尤其到了炎炎夏季，汗腺的分泌会更加旺盛，如果汗液不能及时地蒸发并得到清洗，在细菌的作用下会产生难闻的气味，这种味道就是人们常说的“狐臭”。

很多男孩子因为自己有狐臭而感到很自卑，就有意地远离他人，不愿意和人交往。这样长此以往，肯定会影响到他们的心理健康。

腋臭的味道其实是可以制止的。如果有轻微的腋臭，只要做到勤换内衣内裤、勤洗澡，然后在腋下部撒适量的爽身粉或芳香剂就可以有效地去除异味。在日常生活中，要注意及时擦去腋下的汗水，也可以在很大程度上减少异味，对于去除腋臭有很大帮助。如果有的男孩腋臭实在严重，用以上方法都无法去除，那就应该大大方方地去医院咨询医生，医生会根据具体情况帮助患者选择相应的治疗方法，现在常用的去除腋臭的治疗方法有注射疗法、放射疗法或手术治疗等。

脚太臭怎么解决？

天气越来越热，上完体育课以后，大家都出了一身汗。刚坐到座位上，一股臭味就弥漫开了。

“谁的脚这么臭？”

“这是谁脱鞋了吗？怎么这么臭？”

“太臭了，太臭了，这教室简直没法待了。”

……

大家都被臭味熏得受不了了，不停地抱怨着。

是啊，这是谁的脚，这么臭？

我顺着臭味找过去，发现是壮壮的鞋带开了，他在系鞋带，顺便把脚丫子放出来透透风。听着同学们都那么说，他不好意思地立即穿上了鞋。

我看壮壮很不好意思，立即将同学们的关注点引向另外一个话题，和大家讲起了马上要进行的体育测试，这才把大家的注意力给转移了，壮壮冲我感激地点了点头。

虽然帮助壮壮解了围，但是我自己知道，其实我的脚也很臭，真担心哪天也被同学们发现我的脚臭……

悄悄说给男孩听：

中学生的生活一般是由父母帮助料理的，经常听到有的父母抱怨孩子的鞋子臭；在班里，刚上过体育课的话，周围同学也会抱怨臭脚的男生。脚臭不但给周围的人带去了麻烦，也让男孩子自己难以理解，自己的脚到底为什么会那么臭呢？

其实，很简单，脚臭是由于脚部出汗过多造成的。每个人身上都有许多汗腺，分泌汗液，带走体内杂质。特别是脚部的汗腺非常发达，所以出汗也自然多于其他部位，形成臭脚也就不足为奇了。

毕竟人在运动的时候，出汗会多些。而处于青春期的男孩子正是好动的时候，好动一方面有利于男孩长身体，也会排出大量的汗液。其他部位，如手上的汗腺也较为发达，但是，由于手部便于清洗，汗液可以及时地除去，也就减少了细菌的繁殖，但是脚部无法及时清洗，如果穿的运动鞋的透气性能比较差，汗液就很难散发出去，这给细菌的繁殖创造了条件。细菌和汗液中的尿素和乳酸相遇后，会将其分解，这时就会散发出难闻的臭味。

此外，青春期，特别是14～18岁的男孩的脚更臭，原因在于这是发育的高峰期，此时无论是内分泌还是新陈代谢都很旺盛，所以这时候男孩的排汗量也很大，脚臭的问题则更为严重。不过，脚臭也不是什么病症，要尽量穿透气性好的运动鞋，注意保持个人卫生，这样的情况就可得以缓解。

长得太快也担心……

刚上初一，我个子没怎么长，上课排座位，总是坐第一排。这让我感觉有些受伤。上课想做点小动作或者没完成作业，总是最先被老师发现。和我原来差不多身高的同学都长高了好多，可是我还没什么动静。

我忍不住地想："都是同龄的孩子，生活也相差不大，为什么自己的个头却比别人矮那么多呢？"

为这件事情烦恼了一段时间以后，我慢慢就忘了这件事情。

上了初二，又要排座位了，我突然发现，我已经不用坐第一排了，我突然长高了好多，这次，我终于坐到了第三排。

初一一年的时间长高不少，这让我感觉很不可思议，不会是生病了吧？想到这里，我突然担心起来。

悄悄说给男孩听：

对处于青春期的男孩来说，变化是全方位的。除了心理、思想方面的日趋成熟，还有身体上的巨大变化，如果说思想上的成熟是悄悄进行的话，那身体上的变化就是“明目张胆”的。

这一时期，身高、体形的快速变化是处于青春期的男孩的明显特征。据有关资料显示：在青春期发育前，儿童每年平均增长3～5厘米，而进入青春期后，每年则要长高6～8厘米，有的甚至达到10～11厘米；青春期发育之前，儿童每年体重增加不超过5千克，而到了青春期，肌肉随骨骼的增长而发达起来，肌肉比重加大，体重平均每年增加5～6千克，突出的可增加8～10千克。

综合来看，青春期男孩体重的增加不如身高增长得那么显著，如果身高的生长大大超过体重的增长，就有可能出现“竹竿型”瘦弱身材；若体重的增长大大超过身高的增长，则可出现“肥胖型”身材。

但是，这并不是说，每个进入青春期的孩子都必然会发生身高迅速增长、体重迅速增加的情况。受一些因素的影响，有的孩子的身高、体重也会增加，但是要比同龄的孩子慢很多，甚至个别的还会停滞不前。

影响身高体重的因素主要包括：遗传因素，父母亲较高的，后代一般较高；锻炼的影响，适当的体育锻炼可促进身体增长，特别是全身性体育项目，如游泳、球类运动等；营养、饮食因素，青春期的发育需要大量的营养，保证充足、全面的营养有助于身体的正常发育，有利于身高的增长。

至于体重，也不是说吃得多就一定会胖，吃得少就一定会瘦，它同样受一些因素的影响。体重与骨骼的增长直接相关，还与肌肉、脂肪等的增长有关。男性肌肉一直持续增长到30岁左右才达到高峰，而皮下脂肪10岁左右则开始生长，但以后生长速度会逐渐减慢。

面对青春期身高体重的巨大变化，男孩子应该坦然面对这样的生理变化，因为这是正常的生理现象，是成长中必然经历的过程。有的孩子比同龄孩子矮很多，于是很自卑，有的孩子长得比别人快，显得鹤立鸡群，也会感到着急和苦恼，其实这些担忧和不安都没有必要，顺应自己身体成长的自然规律，学会接纳自己，才是正确的态度。

此外，青春期正是男孩长身体的时候，保证充足的营养很重要。营养的摄入是重要的保障，否则就可能导致发育的减缓和不良。因此，首先要吃好三餐，不挑食，少吃零食。要保证蛋白质、维生素、钙、铁、锌、磷等多种营养元素的足量摄入，以提供充足的身体发育所需的营养和能量。

适当进行体育锻炼也有助于身体的发育，有助于增强体质。

因为，体育锻炼能促进体内的新陈代谢，促进心血管系统的发育；还可改善肌肉、骨骼工作的协调关系；加速血液循环，使全身各组织获得丰富的血液供应，得到更多的营养物质。

避不开的青春期肥胖

每次体育测试，壮壮的成绩都不是很理想。他特别想改变自己的状况，于是他找到体育老师帮他想办法。

体育老师看着胖乎乎的壮壮说：“壮壮，你就是太胖了，身体不灵活，要想改变现状你就得减肥。”听到体育老师的话，虽然壮壮早有心理准备，可他还是有点儿难过。

减肥他已经进行过好多次了，“每天减肥”也被他当成口号挂在嘴边，但是，今天体育老师的话还是让他不得不再一次下定决心减肥。

难道减肥就那么难吗？为什么每次减肥都不能成功呢？

悄悄说给男孩听：

现在，我们生活中的“小胖儿”越来越多了。到底是什么原因导致处于青春期的孩子的肥胖呢？科学研究表明，引起肥胖的原因很多，而处于青春期的孩子肥胖主要是遗传、饮食不合理、运动量少、情绪不稳定等原因造成的。

若要告别青春期肥胖需要先找出原因。专家认为，引起青春期肥胖的原因主要有以下几个方面：首先，遗传因素会造成肥胖。如果父母都胖的话，那么孩子胖的概率是非常高的，但科学研究表明，遗传不是形成肥胖的主要原因。专家认为引起肥胖的主要原因是饮食不合理、缺乏体育锻炼、青春期情绪波动大等。

现实生活中，很多父母并不胖，而孩子却很胖。如果仔细观察，就会发现，这样的孩子一般是平时手里零食不断。现在人们的物质生活水平提高了，一日三餐中的营养基本就能满足需要了，而面对青春期的孩子，父母又会为了让孩子长身体，源源不断地提供高营养、高热量的食物。此时孩子的食欲又很旺盛，所以，对父母提供的美食，会不加节制地吃。这样，人体所需的营养严重过剩时，就会转化为脂肪在体内堆积，进而造成肥胖。处于青春期的孩子学习压力很大，体育锻炼对处于青春期的男孩来说更为重要，但现实是除了吃饭睡觉外，孩子们一般会坐在教室里学习，就连每周的体育课也因怕耽误学习不乐意上，专门去健身的可能性更是微乎其微，身体多余的热量也会转化成脂肪堆积起来，形成肥胖。情绪的不稳定也会导致肥胖。很多男孩在青春期，由于要适应身体第二性征的出现，同时要承受家长、老师的压力，情绪波动很大。情绪不稳定就会出现暴饮暴食的情况，为了缓解情绪，很多人会不加节制地吃零食，这样也会增加肥胖的概率。

导致青春期肥胖的原因有很多，处于青春期的男孩正是长身体的时候，要适当控制一下体重，要多锻炼身体，为高效学习提供身体的保证。

记不住，应该怎么办？

我总是觉得自己得了健忘症，因为很多时候我总是记不住该记的知识，对此我很懊恼。好多时候，我的记忆力都让我着急。为什么一样是背单词，别人就能记住而我就不行呢？

尽管我付出了比别人更多的努力，但是成绩仍然不理想。

不仅仅是学习上，生活上也经常如此。我最喜欢的北冰洋汽水，经过比较我更喜欢橘子味的，但是到了超市，我却忘了到底要买哪种口味的。

还有，妈妈让我去买生抽，可是到了超市我早已忘了是买生抽还是老抽了。

我真的怀疑自己得了健忘症，这可怎么办呢？

悄悄说给男孩听：

看着男孩这么难受，妈妈又充当了“解放军”的角色，来帮忙解决问题。

妈妈对我说：“昊昊，可能你的健忘是由于你原本很粗心的性格造成的，其实只要你做什么事情都能养成加倍细心的好习惯，我想你的‘健忘症’会很快被治愈的。”

此外，妈妈希望我能注意到：记忆也是心理过程的重要组成部分，所以平时不要总是对自己说：“我的记忆力差，我的记性不好。”如果经常给自己这样的心理暗示，用不了太长时间没准就会真的健忘了呢。

妈妈还给我介绍了一些帮助恢复、提高记忆力的方法，希望我好好去改变，把“健忘”的帽子甩掉。

（1）培养积极健康的生活方式，平时要有规律地生活。

（2）正确进行自我调节，注意保持乐观的情绪和积极向上的心态。

（3）把物品放在固定的位置，使用后放回原处，对于一些重要的事情可以采用用笔记录的方式，养成良好的生活习惯。

（4）造成记忆力低下的元凶是甜食和咸食，多吃含维生素、矿物质、纤维质丰富的蔬菜水果可以提高记忆力。记住，像玉米、小麦、黄豆、蘑菇等对提高记忆力很有帮助，要多食用。银杏叶提取物可以提高大脑的活力、注意力，对记忆力也有一定的帮助；至于咖啡，它可以在短时间内使大脑兴奋，如果需要我们集中注意力、记忆力做事，可以事先喝一杯咖啡。

（5）勤奋工作学习往往可以使人的记忆力保持良好的状态，所以希望你能对新鲜事物保持浓厚的兴趣，敢于挑战自己。平时可以参加一些益智活动，比如下围棋、象棋等，可以使脑细胞处于活跃状态，从而减缓衰老。

（6）良好的情绪可以帮助神经系统与各个器官、系统的协调统一，使机体的生理代谢处于最佳状态，从而反馈性地增加大脑的活力，对提高记忆力颇有裨益。

（7）适量的体育运动可以调节和改善大脑的兴奋与抑制过程，能促进细胞的新陈代谢，使大脑功能得以充分发挥，延缓大脑衰老。

（8）大脑中存在着管理时间的神经中枢，即我们常讲的生物钟，所以工作、学习、娱乐以及饮食要有一定的规律，以免造成生物钟的紊乱、失调。尤其要保证睡眠的质量和时间。睡眠能使脑细胞处于抑制状态，消耗的能量得到补充。

（9）探索一些适合自己的记忆方法，对一定要记住的事情写在笔记本或是便条上，外出购物时列一个单子，将必须处理的事情写在日历上，等等。

虽然我不想承认自己粗心大意，但是，为了不让自己整天丢三落四的，我决定还是按照妈妈的方法来锻炼自己。一段时间以后，当我严格按照妈妈说的去做时，发现自己没那么健忘了，或许真如妈妈所说，我自己根本就没有健忘过。

我为什么总是睡不好？

周末是和妈妈法定的逛街看电影加吃饭的时间。我们看完现在热播的《大圣归来》，吃完喜欢的火锅，妈妈就带我来到了百货区。

妈妈带我左拐右拐，到了一个卖枕头的日用品区，妈妈说，今天要给我选一个最舒服的枕头。

我和妈妈看了百货区所有的枕头，最后，妈妈花了几百元钱给我买了一个乳胶枕。妈妈说，在别的方面节省一些，寝具必须选质量好的。只有有了好的寝具，睡眠才能有保障。我又处在长身体和学知识的青春期，优质睡眠就为更重要了。

听完妈妈的话，我更爱妈妈了。当然，在我的坚持下，也给爸爸、妈妈都买了乳胶枕。妈妈不停地夸我长大了。

我想，这种都为对方考虑的关系，才是最幸福的关系吧。

回家的路上，妈妈又和我聊了很多，妈妈说，优质的睡眠对一个人的健康来说非常重要。然后妈妈就详细地给我讲了起来。我又上了很生动的一课。

悄悄说给男孩听：

妈妈说的大意是，国外的一项研究发现，青春期的孩子们大脑的部分生长发育是在睡眠中完成的，如果你们长期睡眠不足，就有可能出现语言能力发育缓慢、对事物认知的能力下降、记忆力下降，甚至还会使智力发育的时间延后。总之，这些睡眠不足的孩子生长发育会比同龄的拥有正常睡眠时间的孩子迟缓三倍。

妈妈说，我也有很多时候到了睡眠时间仍然不肯睡觉。很多孩子不想过早睡觉，即使规定了睡觉时间，孩子也总会找出一大堆理由，拖延时间，不是要喝水，就是要上厕所……对此，妈妈曾经感叹说："让孩子睡觉，比打仗还难，真不知道怎么做才好。"

妈妈还说了，处于青春期的孩子，自控力较差，玩性十足，很容易因贪玩而造成睡眠不足，由此影响第二天的正常学习。长此以往，形成恶性循环，不仅会影响学习成绩，而且也不利于身体的健康。

妈妈帮助我制定了最佳睡觉时间，可是我往往不按规定睡觉，这也让她很苦恼。

睡眠对于我们每个人来说，就像空气、阳光、水一样，是必不可少的。一个人生命1/3的时间是在睡眠中度过的，睡眠质量差可诱发多脏器疾病，严重的甚至会威胁身体健康。

早在战国时，名医文挚就曾讲过睡眠的重要性，他说：

“我的养生之道是把睡眠放在头等位置，人和动物只有睡眠才能生长，睡眠能帮助脾胃消化食物。所以睡眠是养生的第一大补，人一个晚上不睡觉，其损失一百天也难以恢复。”

清代的医家李渔也曾指出：“养生之诀，当以睡眠居先。睡能还精，睡能养气，睡能健脾益胃，睡能坚骨强筋。”

1. 优质的睡眠有助于消除疲劳，恢复体力

睡眠是消除身体疲劳的主要方式，睡眠期间，胃肠道功能及有关脏器会合成人体所需的能量物质，以供活动时使用。另外，睡眠时全身基础代谢率降低，能量消耗减少，同时人体合成代谢超过分解代谢，使各组织消耗能量得以补充，为消除疲劳、体力恢复提供能量。

2. 优质的睡眠有助于保护大脑，恢复精力

睡眠不足者，常可表现为烦躁、激动、精神不振、注意力涣散或记忆力减退等。长此以往，还会导致出现幻觉。而睡眠充足者，精力充沛，思维敏捷，学习效率也很高，这是因为大脑在睡眠状态下耗氧量大大减少，有利于脑细胞能量的储存。因此，睡眠有利于保护大脑，恢复精力。

3. 优质的睡眠有助于促进生长发育

睡眠与生长发育密切相关，这是由于睡眠时生长激素分泌，可以促进蛋白质的合成，有利于修补组织，提高人体的免疫功

能。相反，睡眠不足会引起人心理、生理一系列的变化，不利于身体的生长发育。

4. 优质的睡眠有助于增强免疫力，有利于机体的康复

人体在正常情况下，能对侵入的各种抗原物质产生抗体，并通过免疫反应而将其清除，保护人体健康。睡眠时由于内分泌发生一系列变化，能使机体产生抗体，从而提高人体抵抗疾病的能力。同时，睡眠还可以加快各组织器官的自我康复，现代医学中常将睡眠作为一种治疗方法，用来帮助患者度过最痛苦的时期，以利于身体的康复。

5. 优质的睡眠有利于青春期孩子的心理健康

睡眠对于处于青春期的孩子的心理健康也是很重要的，它可以维护人的正常心理活动，因为即使短时间的睡眠状态不佳，也会导致注意力涣散等情况出现，而长时间睡眠不佳则可能导致一系列的心理问题，如精神不振、抑郁等。

因此，对于处于青春期的男孩来说，优质的睡眠是其必不可缺的“营养”。

妈妈决定，以后要给我创造好的睡眠环境，当然，还需要我的配合，这样才能让我的睡眠保质保量。

第八章

“君子不立危墙”，我要保护好自己

怎样打求救电话？

周末，就我一个人在家写作业，正在想一道数学题的解法时，门外传来“咚咚咚”的敲门声。敲门声很急，还有一个男孩的呼喊声：“昊昊哥哥，你快来看看，我奶奶晕倒了……”

听声音是对门的邻居洋洋，我立即跑过去开门。洋洋看到我立刻拉着我往他家跑。到那里一看，洋洋的奶奶已经从沙发上滑下来了，躺倒在地上，洋洋过去摇晃奶奶，她却没有反应。

我一看，知道奶奶不是单纯的跌倒，可能是心脑血管病犯了。想到这里，我马上朝洋洋喊道：“洋洋，别动奶奶，那样会加重病情的。”我边喊边快速拿起电话，拨打了“120”。“这里是××小区3号楼一单元506室，邻居奶奶今年75岁，突然晕倒了，可能是心脑血管病犯了，现在手脚抽搐，人已经昏迷了，请快点派救护车过来！”

我按照电话里医生的吩咐，把奶奶摆成平卧体位，并拉住哭喊的洋洋，不让他去碰奶奶，然后我又迅速给洋洋的家人打了电话。五分钟后，救护车到了。

由于抢救及时，奶奶很快脱离了危险。后来洋洋的家人还专门来我家感谢我，说我及时、正确地拨打了求助电话，使奶奶转危为安。

悄悄说给男孩听：

学会拨打求救电话，是非常重要的一项技能。

下面，我们就来学习如何拨打紧急求救电话：

1. 紧急报火警

发现着火并确认是火灾时，要立刻拨打“119”电话，不要紧张，准确向对方说明着火的位置、目前的火情、什么原因引起的以及有无人员被围困等。

2. 紧急报匪警

发现坏人进行违法犯罪活动时，要立刻拨打“110”电话，简明扼要地说明问题。如犯罪人的地点、犯罪人的数量、目前在做什么、有没有凶器、有无交通工具、有无人员受伤以及有无爆炸物等。

3. 紧急报交通事故警

看见路上出了交通事故，或者自己的家人发生了交通事故，要立刻拨打“122”电话，讲清楚交通事故的位置、车辆情况、有无人员伤亡、车辆牌号等。

4. 紧急拨打急救中心电话

发现有人突然发病，要立刻拨打“120”电话，准确说清患者的地址、病情、目前的生命情况、工作单位、性别等。

野外遇险如何发求救信号？

放假了，我和班里的几个好朋友一起约好去爬山，壮壮则提议去走一走“京西古道”。“京西古道”是一条徒步线路，沿途人烟稀少。爸爸听说我们要去徒步旅行很担心，但在我的一再要求下，爸爸勉强答应让我去参加这次活动。

根据天气预报，下周一天气晴朗，而且气温不高，是开展活动的较佳时间。确定好时间，我开始为这次徒步旅行做准备，我准备了合适的鞋子、服装、背包，还带了足够的水和食物。

晚上，爸爸下班回家看我收拾好的背包，拿过来仔细看了起来。

“怎么没有哨子、打火机、手电筒之类的？”爸爸惊奇地问。“您以为我还是小孩，还爱玩哨子呢？”我不禁笑起来，“又不是去野炊，不用带打火机。当天就能回来，手电筒就更没有用了！”

爸爸看着我，严肃地说：“山上通常会很空旷，又多有茂密的植物，一不小心就会迷路和同学走散。要是迷路了，和同学走散了，你应该怎么办呢？”

我一子下被爸爸问住了，我还从来没有想到过这种情况呢！想到爸爸说的几样物品，我突然明白了：“是不是要是迷路了，又没有力气喊，就拼命吹哨子，晚上可以用打火机或手电筒照明，这样就可以让别人发现我们？”

爸爸摇摇头，说道：“可以让别人发现你们，但是别人不知道你们需要帮助啊。这都是有专门的求救信号的，只有正确使用求救信号，才能及时得到救援。”听完爸爸的话我更疑惑了。

看着我对这方面的知识一无所知，爸爸说要给我好好补补课，于是详细地给我讲了求救信号的种类，如烟火信号、声音信号以及色彩信号等，并讲了在必要的时候应该如何正确利用这些信号，帮助自己摆脱困境。

“实在太神奇了！原来有这么多信号，每种信号都这么有讲究！我学到了很多，谢谢老爸！”我欢快地对爸爸说。我把这些信息详细记录下来，并做了整理。我要把这些知识和队友们分享，在大家一起游玩的时候做好安全预防。

悄悄说给男孩听：

在野外游玩，很多时候可能会遇到一些自己和身边的朋友或家人都无法解决的难题。这时候就需要及时对外求救。那么对求救信号的发送，你了解多少呢？

（1）国际通用的山中求救信号是哨声或光照，每分钟六响或闪照六次，间隔一分钟后，重复同样的信号。

（2）如果有火柴和木柴，则可以点起一堆火，烧旺后加些湿枝叶或青草，使之升起大量浓烟。

（3）穿着颜色鲜艳的衣服，帽子也应选择鲜艳的。

（4）用树枝、石块或衣服等物在空地上摆出SOS或其他求救字样，每字最少长6米。如在雪地上，则在雪上踩出这些字。

（5）用颜色最鲜艳的宽大的衣服当旗子，不断挥动。

（6）看见直升机到山上来援救而飞近时，引燃烟雾信号弹（如果有的话），或在附近生一堆火，升起浓烟，让救援者了解风向，这样能帮助救援者准确掌握停落的位置。

在野外游玩，欣赏山水美景的同时，一定要注意安全，不要因为玩而受到伤害。以上方法一定要记牢，遇到危险的时候能起到救助作用。

溺水了怎么办？

我从小就跟爸爸学会了游泳，炎热的夏季，我经常跟爸爸一起去游泳馆游泳。每次爸爸都要我在他的眼皮子底下游。可是我觉得自己已经游得很好了，不用爸爸盯着了。对于爸爸的监督，我特别厌烦。

这天，趁爸爸不注意，我一个人跳进了深水区。深水区里游起来很轻松，因为水深浮力大，在这里游起来非常开心。

我在水里游得正高兴的时候，突然觉得右脚好像不听使唤了，紧接着一股剧痛袭来。我强忍着疼痛，想平衡身体，但是身体好像不听使唤一样，我想呼救，可是很快头就到了水下面。

一阵阵恐惧袭来，慌乱中我挣扎起来，结果是越挣扎越往下沉，我觉得身上的力气也越来越小。正当我快绝望的时候，有个人向我游了过来，原来是爸爸，我终于松了一口气。

爸爸把我拖到岸上，他先是非常自责，后来严肃地说：“发生溺水时，千万不要慌张地挣扎，越挣扎沉得越快，而且会加剧腿部抽筋。要想办法呼救，我都没有听到你的声音！另外，别人施救时，千万不要紧紧抓住施救人员，这样会使你们同时陷入危险的。”

“今天出了这样的事，确实有我的责任，但是你的自救知识也太匮乏了。要是在外面游泳，周围又没有人，那就危险了！”爸爸后怕地继续说道：“你在学习游泳技术之前应该先学一些自救知识，遇到意外时才有可能从容应对。看来现在很有必要给你讲一下自救知识啊！”

于是，爸爸就给我讲解了游泳抽筋时应该怎么处理，溺水时具体应该怎么做。我挺羞愧的，本来是想偷偷游泳，结果还发生了这么大的危险。不过我现在已经懂了很多溺水自救的知识了，相信以后不会再发生这样的情况了。

悄悄说给男孩听：

男孩子们夏天都喜欢游泳，有些男孩会选择安全较有保障的游泳馆，还有一些顽皮的男孩直接跑到河里、池塘里去游泳。几乎每年都有青少年溺水事件发生。

溺水对生命最大的威胁是水能堵住人的呼吸道，造成窒息缺氧而死亡。溺水往往具有发生突然、危险进程快的特点，一般情况下人溺水4～6分钟就可能因呼吸和心跳停止而死亡。所以做好预防和抢救工作对保护自己的生命有重要意义。

男孩们如果不慎落水或在水中发生意外，应采用以下几种方法自救：

（1）保持镇静，采取仰面位，即在水中头向后仰，口鼻向上并尽量露出水面。

（2）呼吸时要注意做到呼气浅而吸气深，并防止发生呛水。

（3）不要向上伸手臂进行挣扎，这样只能使人加速下沉。

（4）因腿抽筋不能游动导致下沉时，应及时呼救；如附近无人，应保持镇静，设法向浅水或岸边靠近。

油温过热着火怎么办？

放假了，我一个人在家看书写作业。中午，妈妈不放心，经常回家来看看我。看着妈妈急匆匆地从外边走进来，都来不及换下被汗浸湿的衣服，就开始洗菜做饭，我总觉得妈妈太辛苦。

这天，我打算自己做一顿饭给妈妈吃。

想到这里，我就去厨房忙起来。择菜洗菜我都做过，这两步很快就完成了，接下来就是炒菜了。

我以前从没炒过菜，于是在计算机上查起了菜谱。

根据菜谱的提示，我先烧干锅，等锅干了下油，之后等油热了下菜。看好了步骤，我就去灶台前点火了。

按照提示我一步步操作着，就是到了判断油温的时候我拿不准了。担心油温太低炒的菜不好吃，我等了一会儿，等我再下菜的时候，炒锅温度突然就变得特别高了。再后来，等妈妈开门进来的时候，正好看见我手忙脚乱地往炒锅里倒菜，然后油锅冒烟起火的情况。

妈妈立即赶来厨房，盖上锅盖，然后才对狼狈不堪的我说：“你做饭的出发点很好，但是下次做饭前一定要跟妈妈先学一学再说。”

听完妈妈的话，我不好意思地低下了头。

悄悄说给男孩听：

家庭日常食用油，无论是植物油还是动物油，都属于可燃性液体，在锅内被加热到450℃时会发生自燃，火焰会一下蹿起来很高。根据食油的这种特性，炒菜时要先把菜洗净切好，然后在锅里放上油，看见锅里有热气，再把菜放下去炒，免得时间过长油在锅里起火。现在有不少人为了炒的菜味道鲜美，总要等到锅里的油冒烟才放下菜去炒。这样的做法有两大危险：一是油温过高容易起火，二是油锅里散发出来的气体对人的身体有害，过多地吸入容易致癌。当遇到油锅起火时，首先一定要沉着，迅速采取补救措施：

1. 用锅盖来灭火

用锅盖或能遮住锅的大块湿布、湿麻袋等物，朝前倾斜着遮盖在起火的油锅上，使燃烧的油火接触不到空气，便会因缺氧而立即熄灭。这种方法相对简便易行，而且使锅里的油不被污染，人也不会被火伤害。

2. 将食物倒入锅内

可以拿起旁边要下锅的蔬菜、米面或其他生冷食物，沿着锅的边缘倒入锅内，利用蔬菜、食物与油的温度差，使在锅里的油温迅速下降，因为当油达不到450℃的燃烧点时，火就会自动熄灭。不过在使用这种方法时要防止烫伤或油火溅出。

需要提醒人们警惕的是，油锅着火千万不能用水灭火，这种方法极易引发火灾。比如，用冷水往油锅里浇，当冷水遇到高温的热油时，就会发生“炸锅”的现象，使油水到处飞溅，这样极容易形成火灾或造成自伤。另外，如果用双手端起着火的油锅，再把油锅放到旁边的水池里，不仅会烫到双手，而且更可怕的是，油火遇水会反蹿上来，可能会烧伤人的面部。

火灾时积极自救

学校为了保护我们的安全，给我们做了一次火灾安全演习。

上午先是由消防队的张队长为大家做了一定的讲解，确定好逃生路线。下午一点钟，演习准时开始。随着一股黄色的烟雾溢出，模拟警报声响起，刺耳的警报声响彻校园。全校师生听到警报声后迅速向安全地带逃离。

可是，我在张队长讲解怎样逃生时没有认真听，听见刺耳的警报声，又看到烟雾升起，一下子便慌了。看着同学们纷纷往外跑，我也跟着跑。好不容易跑到走廊，看见很多同学手里拿着手绢或衣服捂着口鼻，就想起书包里还有围巾呢，可以用来捂住鼻子，于是赶紧往回跑。

由于和大家跑的方向相反，结果好几次我差点儿摔倒，跑回教室我立即翻出围巾，捂住鼻子后继续向外跑，没想到时间到了，我成了“被困火场的人”，需要等待救援人员施救。

这时候，我才意识到自己是做错了什么，才导致没有及时逃离“火场”。为弥补过失，我决定在救援人员到来前做点什么。往教室四周看了一下，后排有一张铁桌子，我马上爬到桌子上，高高地站在上面。心想：如果周围都是火，铁又不能着起来，站在铁桌子上面应该安全了。我为自己的小聪明沾沾自喜。

没想到被“救”出去后，张队长评价说我在火场逃生演习中犯了很多错误：“首先，已经逃离现场，不应该以任何理由再返回去，这样会增加生命危险；再就是用来捂住口鼻的毛巾、布条之类最好用湿的；最错误的是在火灾现场竟然高高地站在铁桌子上，遇火之后，铁的东西会快速升温，靠近之后会灼伤身体。”张队长接着说，“在火灾现场要采用低姿态，也就是爬行，这样可以减少烟雾的吸入……”

张队长在现场耐心讲了很多，我也学到了很多。我决定要好好记住这一课，并回去讲给爸爸妈妈听，让更多的人了解火灾自救的知识。

悄悄说给男孩听：

如果不幸遭遇火灾，男孩子一定要勇敢、不要慌乱，应采取正确有效的方法自救逃生，以避免人身伤亡和损失：

（1）身受火灾威胁千万不要惊慌失措，要冷静地确定自己所处的位置，根据周围的烟、火光、温度等分析并判断火势，不要盲目采取行动。

（2）身处平房的，如果门的周围火势不大，应迅速冲出门离开火场。反之，则必须另选择出口脱身（如从窗口跳出），或者采取保护措施（如用水淋湿衣服、用温湿的棉被包住头部和上身等）后再离开火场。

（3）身处楼房的，若发现火情不要盲目打开门窗，否则有可能引火入室。不要盲目乱跑，更不要跳楼逃生，这样会造成不应有的伤亡。可以躲到居室里或者阳台上，紧闭门窗，隔断火路，等待救援。有条件的，可以不断向门窗上浇水以降温，延缓火势蔓延。

（4）在失火的楼房内，逃生不可使用电梯，应通过防火通道走楼梯脱险。因为失火后电梯竖井往往成为烟火的通道，并且电梯随时可能发生故障。

（5）因火势太猛，必须从楼房内逃生的，可以从二层处跳下，但要选择不太坚硬的地面，同时应从楼上先扔下被褥等增加地面的缓冲，然后再顺窗滑下，要尽量缩小下落高度，做到双脚先落地。

（6）在有把握的情况下，可以将绳索（也可用床单等撕开连接起来）一头系在窗框上，然后顺绳索滑落到地面。

（7）逃生时，应尽量采取保护措施，如用湿毛巾捂住口鼻、用湿衣物包裹身体等。

（8）如身上衣物着火，可以迅速脱掉衣物，或者就地滚动，以身体压灭火焰。如果会游泳，还可以跳进附近的水池、小河中，将身上的火熄灭。总之，要尽量减少身体烧伤面积，减轻烧伤程度。

（9）火灾发生时，常会产生对人体有毒有害的气体，所以要预防烟毒，应尽量选择上风处停留或以湿的毛巾或口罩保护口、鼻及眼睛，避免有毒有害烟气的侵害。

危险游戏要不要玩？

一到学校，就看见楠楠和希希在那里神秘地商量着什么。天生爱凑热闹的习惯让我不由自主地走上前去想听听他俩在琢磨什么。等我走近以后才听清楚，原来楠楠弄到几张市里新开的游乐园的门票。这个游乐园挺大的，听说有好多新的很刺激的项目，大家都想去玩一玩。

楠楠他们正在那里商量着什么时候去，都要玩儿哪些刺激的项目呢！

其实我也想去，可是想想上次坐完过山车下来就狂吐的经历，我又有点儿害怕。上次以后，那些危险的游戏已经在我的心里留下了阴影。到底要不要和大家一起去玩儿呢？

悄悄说给男孩听：

如今，在许多的游乐园内都设置了高空游览车、悬升飞机、过山车、碰碰车、滑车、溜冰、水上漂流、高山滑梯、赛车等娱乐项目。这些游乐活动具有很大的刺激性和吸引力，但也有一定的不安全性，其中不少项目很惊险。

对于惊险刺激的游乐项目，很多男孩具有一种矛盾心理：很想玩但又害怕玩，不玩又不甘心。我们需要注意的是，参加任何体育活动都必须把人身安全放在第一位，做到量力而行，不勉强、不逞强，并且严格遵守游乐规则。

所谓的“量力而行”，就是说，惊险的项目不是每个人都可以玩儿的。因为这些游乐项目比较激烈，玩儿起来让人神情紧张、惊心动魄，所以胆小、体弱、心理承受能力较差和患有心脏病、恐高症、眩晕等疾病的男孩不能去玩儿这些惊险项目，以免身心健康受到损害，导致休克、晕厥、旧病复发，甚至威胁生命安全。

确保惊险项目的游乐安全，还有一条非常重要，就是要自觉遵守游乐规则。在游乐园里，每一个惊险项目都会明文规定游乐规则。这些规则，实际上是保护游客人身安全的有效措施。比如：玩高山滑梯时，严禁身穿背后有拉链的游泳衣裤，防止在滑行的过程中拉链与滑道摩擦，伤害人体；玩碰碰车时，驾车人的双腿不得伸出车外，而且身体与方向盘之间应保持一定的距离，以防止两车相碰导致驾车人的腿脚被轧伤、撞伤；玩旋转上升的运动项目，必须系好安全带，人体不得探出运动器外，以免在激烈的游戏过程中发生人身伤亡的事故等。对于这些游乐项目的规定，在玩之前一定要了解清楚，以免因无知而造成无法弥补的伤害。

爸爸妈妈不让我一个人去游泳

电视上总有孩子们自己偷偷去河边玩而溺水的报道，这些报道让每个家长看了都很心痛，是啊，一个个花季少年就这样被水夺去了生命，确实是让人痛苦的事情。这对一个家庭来说，可以说是非常沉重的打击。

每每看到这样的新闻，妈妈就会不断地对我说："昊昊，千万不要一个人去玩水，特别是没有人看管的地方。还有，不要一个人去滑雪，那也是很危险的。"

说的次数多了，我就不是很在意了。但是，有一天，体育课上，我们班一个男孩游泳的时候腿抽筋了，他很痛苦，还好当时有救生员在场，救生员看他情况不对，便立即把他救了起来，才避免了一场悲剧的发生。看来，还是不能太大意啊。

辅导员老师很快就知道了这件事情，我们的主题班会也成了安全教育课，而且把家长们也都请了来。原来大家都以为平时没有那么多危险，经过这次事件，大家都意识到了危险就在身边，一个个都听得很仔细。

辅导员都讲了什么呢？

悄悄说给男孩听：

辅导员说，玩是孩子的天性，但是有很多游戏孩子自己玩不得，比如说玩水、滑冰等。孩子贪玩往往就忽略这些安全方面的注意事项，作为父母，应该在平时就高度重视，让孩子们明白，有些游戏只能和家长、老师一起玩儿，孩子们自己玩儿不得。

第一，孩子一个人玩儿存在安全隐患，有些游戏孩子不能单独玩儿。

孩子们爱玩儿，却没有形成必要的安全意识，特别是孩子一个人玩儿某种有潜在危险的游戏时，一旦发生危险，没有人知道，孩子又不具备自救的能力，很可能会产生可怕的后果。

随着暑假的到来，不少小学生喜欢到水库、池塘等地方游泳，由于这些场所大多没有安全防护设施，容易发生意外事故。如果中小学生单独行动的话，往往因缺少自救能力，使危险系数大大增加。

冬季，孩子们喜欢滑冰，出于经济方面的考虑，一般会选择水库或者池塘，如果孩子没有和同伴一起，可能会发生掉进冰窟窿里而没有人救援的危险情况。

如果孩子喜欢探险，对登山等一些户外活动比较感兴趣的话，也需要有同伴。特别是到离城镇很远的野外活动，如果没有同伴，一旦发生意外，后果不堪设想。

第二，加强对孩子的安全教育，告诉孩子怎样保护自己。

对于爱游泳的孩子，父母要及时开展安全教育，给孩子讲明到水库、池塘等场所游泳的危险性。比如，告诉孩子水库和池塘地形复杂、深浅难测，稍一大意就会发生危险，绝不能单独到水库、池塘等场所游泳。平时要不厌其烦地对孩子灌输这方面的意识，做到警钟长鸣。如果孩子要游泳，让孩子约小伙伴们一起去正规的游泳池。

在游泳之前告诉孩子，一定要做好热身准备。下水前先热身10～15分钟，可以防止在水中发生腿抽筋的情况，这也是保护孩子的一种安全措施。

父母在孩子放假期间要注意加强对孩子的安全教育。据调查，由于假期时间比较宽松，孩子们无事可做，导致许多安全事故发生在寒暑假期间。针对这种情况，父母可以多给孩子安排一些假期活动，让孩子既可以享受娱乐的轻松，又可以远离危险。

父母可以用周围的真人真事为孩子敲响警钟，也可以用图片或者影像资料让孩子加深印象，防止孩子听过之后就忘到脑后。父母可以多带孩子去听听这方面的讲座，教育专家对孩子的心理把握得比较准确到位，说出来的道理也比较符合孩子的“口味”。

孩子的安全意识比较淡薄，有时找不到玩伴，就可能兴起独自探险的念头，这很容易把孩子推向求助无门的境地。作为父母，应该对孩子加强教育，让孩子了解有些游戏只能和朋友们一起玩，自己玩不得。

这节课是我们和家长一起上的，除了要求我们自己多加小心以外，还对父母提出了很多要求。看来，以后我玩的时候也要带上父母了。

遭遇地震不慌乱

地震因为它的难预测性，通常有很强的突发性，震级越大破坏程度越高。为了增强我们的自我保护意识，学校进行了地震的安全撤离演习。

在演习过程中，我表现得并不是很好。回到家，我让爸爸把地震中的防护方法给我具体讲了讲。

悄悄说给男孩听：

地震发生且震级较高时，通常会造成房屋倒塌、大堤决口、大地陷裂等危险情况，给人们的生命和财产带来巨大损失，因此在地震中保护自己的生命安全显得尤为重要。为了在地震发生时保护自己，男孩们应当掌握以下应急求生方法：

（1）如果地震发生时孩子们正处在平房里，要迅速以比桌、床高度更低的姿势，躲在桌子床铺的旁边，同时用被褥、枕头、脸盆等物护住头部，然后等地震间隙再尽快转移到安全的地方。地震时如果房屋倒塌，则应待在床下或桌下不要移动，要等到地震停止再冲出室外或等待救援。切忌地震时因紧张而在屋内乱跑，因为那样受伤害的危险性很大。

（2）如果你住在楼房中，地震发生时，不要试图跑出楼外，因为时间来不及。最安全、最有效的办法是及时躲到两个承重墙之间最小的房间里，如厕所、厨房等，也可以躲在桌、柜等家具下面或者房间内侧的墙角，并且一定要注意保护好头部，千万不要去阳台和窗下躲避。

（3）如果正在上课时发生了地震，切不可惊慌失措，更不能在教室内乱跑或争抢外出。靠近门的同学可以迅速跑到门外，中间及后排的同学可以尽快躲到课桌下，用书包护住头部；靠墙的同学要紧靠墙根，用双手护住头部。

（4）如果你已经离开房间，记住千万不要在地震一停就立即回屋取东西。因为第一次地震后往往会接着发生多次余震，余震对人的威胁也不容忽视。

（5）如果地震发生时你正在公共场所，那么一定不能惊慌乱跑，可以随机应变，躲到就近相对比较安全的地方，如桌柜下、舞台下、乐池里，等待地震过去后再离开。

（6）如果地震时你正在街上，那么绝对不能跑进建筑物中避险，也不要在高楼下、广告牌下、狭窄的胡同、桥头等危险地方停留。因为地震很可能会把楼上的玻璃或街上的广告牌震落，而狭窄的胡同不利于你的逃生。

（7）如果地震后你不幸被埋在了建筑物废墟中，应先设法清除压在腹部以上的物体；用毛巾、衣服捂住口鼻，防止烟尘导致窒息；同时要注意保存体力，并设法找到食品和水，创造一切生存条件，等待救援。

如果遭遇了车祸

每天去上学，爸爸妈妈总是在后面喊，“要多注意安全”“慢点”“别着急”“看清了再走”等。

每次爸爸妈妈这么说的时候，我都不以为然，总觉得爸爸妈妈太啰唆。可是，一件事情改变了我的看法。

上学路上，我看到一个和我年纪差不多的学生被一辆汽车撞倒了。那个学生在地上痛苦地呻吟着，司机在旁边也很慌张，很紧张地看着他，不知所措。

这一幕让我久久不能平静。心想要是自己出了这样的事情，家长该多着急，自己又会多痛苦。

晚上回到家，我把事情对爸爸妈妈说了，他们也都很担心那位受伤的同学，我们都希望他能没事。

后来，爸爸还是不放心，又对我讲了很多关于如何自救的事情。

悄悄说给男孩听：

车祸会给人造成各种伤害，如各类骨折、骨裂、脑外伤、内脏器官损伤等。因此，车祸中的防护方法显得尤为重要。应用得当，能够最大限度地保护自己，降低伤害。如果在车祸中受伤出血，可以把身上的衣服撕成布片，对出血的伤口进行局部加压止血。在大量出血时最好用毛巾或其他替代品暂时包扎，以免失血过多。

骨折受伤时不要贸然移动身体，不要乱动或错误包扎，确实需要搬动时，一定要确定伤肢不会发生相对移动。找木板或较直、较粗的树枝，用三根固定带将2～3块木板在伤肢的上、中、下三个部位横向绑扎结实。

发生颈部损伤时不可随意挪动，否则很有可能造成永久性的伤害甚至瘫痪。头部受伤时要将身体平放、头稍垫高。

腹部受伤时应把内脏尽量在原来的部位用一个容器扣在腹壁，不要把内脏放入腹腔内，以免造成腹腔感染。

一旦发生车祸，千万不可惊慌失措，因为急躁会增加出血量，增加人体耗氧量，反而会加重伤情。同时千万不要忘记拨打“110”和“120”，这样能够使自己在最短的时间内得到救援，这样就多了一份安全的保障。

应对公共场所的拥挤状况

十一假期，我和爸爸妈妈一起去步行街玩，中午吃完饭，我们打算回家的时候，从地铁里涌进来一大群人。我们和他们是反方向的，不一会儿我和爸爸妈妈几乎要被冲散了。

爸爸紧紧拉着我，把我往他身边拉，可是人流太拥挤了，爸爸根本拉不动我。这时候，爸爸就立马和我一起顺着人流向外走去了。我们费了很大劲才没走散，到了人少的地方，爸爸仍然紧紧拉着我的手。

这次事情以后，我们都特别注意，尽量不去人多的地方。后来，上海发生了踩踏事故，我才知道拥挤是多么可怕的一件事情，后来爸爸也给我详细讲了如何应对这些危险的情况。

悄悄说给男孩听：

拥挤状况突然发生时，不管人流同向涌出，还是交会混杂，都要保持镇定，克服慌张心理。可以躲在障碍物的后面、门背后或贴在墙边，也可以紧紧拉住固定物，防止自己跌倒，被人踩伤。在集体统一通过狭窄的通道时，不要制造恶作剧或开玩笑，以免造成场面混乱，最好等人流高峰过后再通过。

如果遭遇拥挤现象，自己要采取一些自护措施，采取的任何行动都要以确保自己的生命安全为前提。

出现拥挤时，应伸出双手，随时准备应对紧急情况。不要将双手交叉着放在胸前。最可怕的姿势是双手插在口袋里被挤倒，要尽量靠右墙走路。

尽量不要拿过重的东西在楼道中走动，以免遮住自己的视线而不能看到道路和迎面而来的人。

在拥挤的人流中，不要俯身捡拾东西或提鞋、系鞋带等，防止被挤倒在地而被踩伤。在突然被大多数人裹挟向一个方向行动时，不要因为任何原因逆向行动，也许人流前进方向与你要去的目的地背道而驰，也不要做逆流而动的尝试，以免被众人挤伤。由于拥挤现象并不鲜见，所以，作为正在成长的青少年，更应该掌握一些应对拥挤的方法，这些方法能够使自己在突然遭遇拥挤时能够保持镇定自若，及时帮助自己走出困境。

常见食物中毒的急救

“昊昊，今天怎么回来这么晚？饭都做好了，快点儿洗手吃饭，今天有你最爱吃的红烧鱼。”妈妈对昊昊说。

“妈妈，我实在吃不下了，刚在外边和同学吃了好多羊肉串，现在还很饱。”妈妈皱起了眉头：“又是在外面小摊上吃的？不是告诉过你吗，小摊上的东西太脏，而且那些羊肉都不新鲜，吃了很容易生病的……”我笑嘻嘻地立即打断妈妈的话：“不干不净吃了没病，你看我现在不是好好的吗？”

半夜，我突然感到肚子疼，然后就开始一趟趟地跑厕所，连续跑了几趟后，我都快晕倒了，眼冒金星，非常痛苦。于是赶紧找来止泻药。

可是吃完止泻药我就更痛苦了，后来我感到头晕、恶心、胸闷。实在坚持不住了，我敲开了爸妈卧室的门：“爸爸、妈妈，我难受……”爸爸、妈妈看到我的样子，妈妈马上反应过来：

"坏了，昊昊肯定是吃了不干净的食物中毒了！"他们顾不上埋怨我，急忙把我送到医院。

经过一夜的治疗，我好多了。经医生诊断，我确实是食物中毒。食物中毒后又错误地服用了止泻药，病情才更加严重了，所幸送医院还算及时，现在只是身体有些虚弱。"如果继续延误，就该有生命危险了！"医生严肃地说。

听到这里，我真后悔去吃路边小摊的羊肉串，以后一定要管住自己的嘴。

悄悄说给男孩听：

食物中毒是指因进食含有毒素的食物所致，以腹痛、呕泻等为主要表现的中毒类疾病。食物中毒在人们日常生活中时有发生，会对人的身体健康造成损害，甚至有时候会威胁人的生命安全。处于青春期的男孩们应加强防范，如果出现食物中毒症状就应及时正确地采取急救措施。一旦出现食物中毒症状，首先不要慌乱，应冷静分析中毒的原因，针对引起中毒的食物以及吃下去的时间长短采取三大急救措施：

1. 催吐

如果进食的时间不长，在两小时以内可使用催吐的方法。可以把手伸进喉咙轻轻滑动，这种方法较为简单，也可以把食盐和水按照1：10的比例混合冷却后喝下，一直到吐出为止。

2. 导泻

如果食用有毒食物多于两小时，这个时间食物已经到了大肠小肠。可以采用导泻的办法，促使有毒的食物尽快排出体外。一般是煎大黄服用。

3. 解毒

如果是吃了变质的鱼、虾、蟹等引起的食物中毒，可将食用醋按照1：2的比例倒入水中进行稀释，然后一次服下。

经过急救后如果患者症状仍未缓解，或中毒较重者，应尽快送医院治疗。在治疗过程中，应给中毒者补充淡盐水，并及时给予病人护理，避免其精神过度紧张。

病从口入，平时应该注意饮食安全，预防食物中毒。应当做到以下几点：

（1）养成良好的卫生习惯。饭前便后都要洗手。个人卫生习惯不好，会把细菌带到食物上，细菌跟随食物进入人的消化系统，会损害人的健康。

（2）选择新鲜和安全卫生的食品。在购买食品时应仔细查看产品出产日期和保质期。

（3）生吃的食物在食用前要彻底清洗干净，需要加热后才能食用的，一定要等熟透之后再食用。

（4）少吃剩菜剩饭，发霉变质的更是不能吃。

（5）不到没有卫生许可证的小摊贩处购买食物。

（6）不喝生水或不洁净的水。

不和陌生人说话，不上坏人的当

我在姥姥家，经常听到的故事就是哪里丢了个小孩，哪里有诈骗犯出没。姥姥总是喜欢讲各种八卦，我并不觉得新鲜。直到姥姥小区的一个女孩离家出走，我才知道，姥姥原来并非无缘无故唠叨，而是不断地在提醒我。

那个女孩据说是在网络上有个聊得来的网友，于是她偷偷瞒着家里人去见网友了，然后就不知道去哪里了。家里人找不到她了，报警以后警察调取监控录像才发现女孩被塞进一个面包车带走了。

听完这件事情，我后背直发凉，想想那个女孩，现在还不知道怎么样呢。看来，以后真的不能和陌生人说话，不要上坏人的当，要保护好自己。

妈妈知道我不再反感姥姥讲的那些社会上潜在的危险了，便决定和我一起构筑身边的安全网。

悄悄说给男孩听：

妈妈说为了应对潜在的各种危险，我们要一起努力做到下面几点。

1. 与邻里保持必要的联络

邻居之间若能加强联络，对于保证孩子的安全作用极大。一旦发生意外，如家中失火、遭遇窃贼、煤气泄漏等，孩子可以立即向邻居求助，这一点对于居住在城市的孩子来说尤为重要。家长应允许孩子常去邻居家串门，或与邻居家孩子共同玩耍，增加感情交流；应让邻居了解孩子及自己家庭里的基本情况和事项，以便及时联系；对于那些经常独处的孩子，更应引导他们养成在遇见危险时马上向邻居求助的习惯。

2. 学会应对陌生人

尽量与熟悉的同伴在一起，独行时路遇陌生人搭话，必须保持必要的镇静和警觉。从多起孩子被拐案件中分析得知，犯罪分子往往专找胆小、慌乱不安者下手。一些拐卖儿童的不法分子，常常在孩子单独行动时，以认识孩子父母或亲友、带孩子出去玩儿等为由拐骗孩子。家长要明确告诉孩子：不能跟陌生人到任何地方去，如果是认识的人也要表示回家告诉父母，如果遇到危险就大声呼救。

通常，孩子往往被要求服从和尊敬长者，因此，那些以“关心孩子”“代为接送”“让我进来做客”为幌子行骗的不法分子，往往容易在“乖孩子”处得逞。针对这一情况，在对孩子进行思想品德和礼仪教育的同时，学校应教孩子学会明辨真伪、保持警觉、提高安全防范意识。家长则要常以故事、游戏等形式，告诉孩子目前的治安现状以及犯罪分子的惯用伎俩，潜移默化地提高孩子的辨别能力。

若陌生人敲门，不可随意开门，最好的办法是隔着大门告诉对方，父母正在休息，请他以后再来。

3. 谨防各种骗子

现在，社会上有一些不法分子专门骗孩子的钱，甚至诱惑孩子走歪门邪道。有的骗子诱惑孩子赌博，有的以赊账的方式卖给孩子吃的东西和玩具，有的用讲故事的方法散布封建迷信或淫乱思想，有的向孩子兜售摇头丸、迷幻药等毒品……家长要给孩子分析这些社会现象，告诉他这些坏人、骗子的真实面目。遇到这类事，一定要多思考，绝不盲从。回家以后要向家长说清楚，还要向老师汇报。

4. 经常对孩子进行自我防护训练

牢记父母的姓名、家庭和学校的地址及电话、邮政编码；懂得匪警、火警、交通事故急救等重要电话的打法；了解辖区内或学校附近的派出所（报警点）位置等。在孩子有可能独处、独行之前，更应告诉他们熟记以上这些事项。家长可在家中醒目位置贴上写有基本情况和事项的大纸片，以便独处的孩子在遇到危险时及时获得帮助。

运动中远离意外伤害

我和邻居菲菲在玩滑板车，突然，菲菲被车子撞了，还好那辆车停了下来，司机下来看着菲菲，我立即去菲菲家叫家长。

“阿姨，菲菲被车子撞了，您快点来看看。”我跑到菲菲家急急忙忙地对菲菲妈妈说。

“怎么会呢？你们不是在楼下的花园一起玩儿的吗？”菲菲妈妈有点不相信地说。

“是真的，我们一起在路上玩滑板，菲菲没看到过往的车辆，结果被撞了。”我着急地解释道。

“说过多少次了，玩滑板去小广场玩，怎么不听话，又去路上玩。”菲菲妈妈又生气又着急地说道，脚步明显加快，朝出事地点跑去。

菲菲已经被吓傻了，半坐半卧地在地上捂着腿，司机正在问她怎么样，菲菲一句话也不说。看到妈妈来了，“哇”的一声就哭了。菲菲妈妈连忙哄着孩子，司机告诉她已经叫了“120”救护车，马上就到。

后来到了医院，经过医生的检查，菲菲没什么大碍，只是腿擦伤了皮，不严重，养两天就没事了。通过菲菲的这次教训，我们再也不敢在路上玩滑板了。

悄悄说给男孩听：

我回到家，妈妈早就知道了这件事，看到妈妈铁青的脸，我知道，我又要被教育了。

妈妈说，运动对一个人的成长有很多好处，但是人们在运动中受伤的情况也屡见不鲜，这是由于你们还没有对适当运动有一个清晰的概念。所以，在多多运动的同时，还需要加强运动的安全意识，避免因为过度运动或者其他因素而发生危险。

爱好运动，这是件好事，既可以锻炼身体、磨炼意志力，又能促进生长发育。可是运动不当的人却有很多，青春期男孩的身体发育还未成熟，很容易受伤甚至造成后遗症。

处于青春期的孩子要多关注以下几点。

第一，谨防运动中存在的安全隐患。

青春期正是活泼好动的年纪，孩子们几乎一刻也静不下来。父母也了解让孩子多做运动对孩子的健康成长有众多益处，所以对孩子的运动都给予支持和鼓励。但是，很多父母和孩子往往忽略了这样一个问题：运动中也存在很多安全隐患，孩子运动不当会造成严重的后果。

（1）体育课上的安全隐患。

在上体育课的时候，由于不听从老师或者教练的指导，错误地使用体育器材，或是自己不注意，很容易发生跌伤、夹伤、刺伤等多种意外情况。在做球类运动的时候，也会出现冲撞推挤的情况，容易给双方造成伤害。

（2）游戏中的安全隐患。

在嬉戏的时候，人们很容易失去控制，进而造成不必要的损伤。比如，孩子在玩打雪仗的时候，稍微不注意分寸，就有可能因为用力过猛打伤对方，而造成伤害事件。

（3）业余运动中的安全隐患。

孩子穿不合适的服装或鞋进行运动时，也会增加孩子受伤的概率。比如孩子在玩滑板的时候，没有戴头盔和护膝，稍不注意，就会给孩子带来极大的伤害。

孩子在运动中，事先没有做好热身运动，或空腹或吃得太饱，也会发生意外。

第二，父母要加强孩子的安全教育，告诉孩子在运动时注意保护自己。

（1）根据孩子的年龄和特点帮助孩子选择合适的运动项目。

孩子对各种运动有着浓厚的兴趣，但是不能任由孩子的兴趣做选择。父母要针对孩子的年龄特点和承受能力帮助孩子选择合适的运动项目，比如年龄还小、身体柔弱的孩子就不适合选择举重之类的运动项目等。

（2）运动前仔细检查。

认真检查孩子的运动场所和运动装备，检查孩子的身体状况和服装，让孩子掌握正确的饮食方法，保护孩子不受运动伤害。

（3）不要让孩子做太危险的动作。

孩子看到电视上或者专业运动员表演的高难度动作，就会觉得刺激、好玩儿而去模仿。父母一定要对这种情况给予高度重视，在孩子看此类节目的时候，要在旁边教育孩子：这是专业人员经过长期训练才能达到的，此外，还需要搭档的配合和各种安全防护措施，普通人不能擅自模仿。

（4）给孩子报正规的运动培训班。

父母看到孩子热爱体育运动，或者受到奥运会的影响而想让孩子多一项特长，会在孩子的业余时间或者寒暑假给孩子报一些运动培训班。这时候，父母需要注意：虽然社会上开办的舞蹈、体操、滑冰等培训班很多，但是培训班和教练水平存在良莠不齐的情况，所以，父母不要因为急于将孩子送去培训，而忽略了孩子接受不正规训练所带来的恶果。

（5）告诉孩子，要在老师或者教练在场的情况下运动。

由于孩子缺乏自我保护能力，出现意外伤害较多，应该告诉孩子，运动时，要有老师或者教练在场。这样即使发生意外，老师或教练也会及时采取急救措施，防止伤害扩大。